¡EH, PETREL!

JULIO VILLAR

¡EH, PETREL!

CUADERNO DE
UN NAVEGANTE SOLITARIO

EDITORIAL JUVENTUD, S. A.
PROVENZA, 101 - BARCELONA

Séptima edición, 1993
Depósito Legal, B. 27.782-1993
ISBN 84-261-5671-1
Núm. de edición de E. J.: 8.856
Impreso en España - Printed in Spain
INDUGRAF, S. C. C. L. Badajoz, 145 - 08018 Barcelona

Prólogo

Antes, había vagabundeado por Europa haciendo auto-stop *y durante años había vivido entregado a la montaña. Pirineos, Picos de Europa, Alpes, Dolomitas, eran mi casa, eran mi universo; los horizontes de mi vida no eran otros que los horizontes de mis montañas. La idea de dar la vuelta al mundo surgió a raíz de un grave accidente de escalada. Ocurrió en la arista de Peuterey, en el Mont-Blanc, a la altura de la brecha de las Damas Inglesas, a casi 4.000 metros de altura. Pasé dos días y dos noches colgado de la roca con una doble fractura abierta de tibia y peroné. Mis compañeros y un helicóptero me salvaron la vida.*

Después de 15 meses de inactividad, pasados entre escayolas y operaciones, quedé de nuevo en libertad; sólo cuatro meses más tarde comenzaría mi viaje.

Tenía entonces 25 años. Antes nunca había navegado ni nada sabía de las cosas del mar. Todo lo que sé, lo he aprendido solo.

Mi barco mide 7 m. de eslora y pesa un poco más de 1.200 kilos. Fabricado en serie, no está preparado en principio más que para hacer pequeñas travesías.

Salí de Barcelona en abril de 1968 y navegando de puerto en puerto por el Mediterráneo me llegué a Marruecos y luego a las Canarias. Después crucé el Atlántico, en 34 días.

Pasé varios meses en las Antillas y luego a través del mar Caribe llegué a Panamá, por donde entré en el Pacífico.

Galápagos, Marquesas, Tuamotu, Tahití, islas de Sotavento, Coock, Nuevas Hébridas, Fidji, Nueva Zelanda, Nueva Guinea y las islas del estrecho de Torres en el mar de coral llenaron de vivencias extraordinarias dos años y medio de mi vida.

Norte de Australia, mar de Arafura, mar de Timor, océano Índico, islas Chagos, Madagascar, Mozambique, África del Sur, Cabo de Buena Esperanza, isla de Santa Helena, nordeste de Brasil completaron el itinerario de este periplo, que terminó en el verano de 1972 en el puerto de Lequeitio después de una última travesía de 61 días desde el puerto brasileño de Cabedello, en la Parayba.

Mi barco ha recorrido en cuatro años y medio unas 38.000 millas marinas, es decir, el equivalente a algo más de una vuelta y media a la tierra. Mistral *es una de las embarcaciones más ligeras que hayan dado la vuelta al mundo. Tal vez la más ligera.*

Durante mi viaje he trabajado en los puertos, pues salí sin dinero. He encontrado gente muy hospitalaria que me ha ayudado muchas veces.

He vivido en islas y países donde la vida era fácil y la naturaleza pródiga en recursos. Desde Panamá hasta Tahití, en nueve meses de vagabundeo, viví prácticamente sin dinero. Estos años están llenos de momentos casi inverosímiles pero deliciosamente reales.

Este libro es el relato sincero y auténtico de muchas de las alegrías y de las tristezas de mi viaje. Este libro es un reflejo de mi alma.

Largo amarras

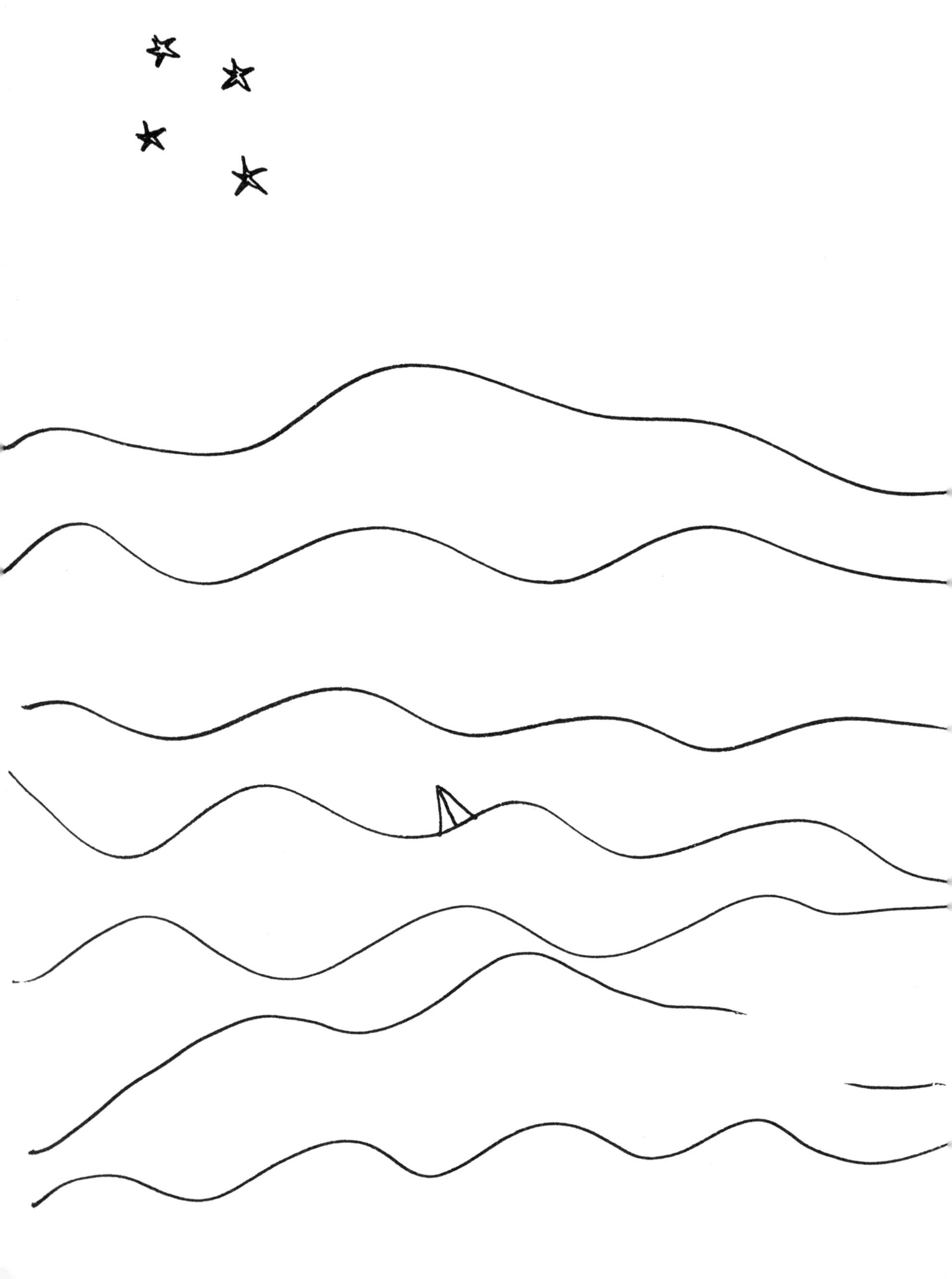

Me voy. Largo amarras. La vida es mía y la tomo por la mano para irnos por ahí. Dejo atrás todas las cosas que no me gustan. Las cosas absurdas. Los señores que prometen con gestos paternales. los sistemas que envuelven y que hipotecan las alegrías de la vida. Y tomo el camino que debo tomar, para conocer la tierra; esta tierra que es mía.

Nos vamos cogidos de la mano; mi vida y yo, yo y mi vida, y lo que comenzamos aquí es un acto de amor que ha de durar hasta la muerte. Por eso nuestro andar es algo bonito, elegante, estético.

Voy andando. A veces, la vida va por delante, llevándome y arrastrándome, alegre, dolorosa, inconsciente. Otras, abro yo el camino, muy seguro de mí, y elijo mis sendas, y miro, corro, descanso, descubro, y me exalto ante todo lo que hay delante de mí.

Me he ido. Ya estoy lejos, muy lejos, y no puedo dar marcha atrás. Por eso a veces me siento un poco solo. Un poco nada más.

Me voy, y soy consciente de la responsabilidad que me nace al tomar la vida así, a solas, mano a mano. Pienso que si algún día tengo que pagar por mi valor, lo pagaré. Y no le doy más vueltas. Eso, ahora, hoy, no importa. El riesgo será el precio de mi forma de vivir.

Me iré a pasear por donde me lleven el viento y las estrellas. Nada es demasiado grande. Todo lo puedo hacer. Todo lo puedo abordar. Nada es demasiado pequeño. Todo vale la pena de ser hecho. Sólo me he de conformar con ser feliz.

El sol sale. Se despierta para mí. Es como si se levantara de su inmenso lecho azul después de una larga noche de amor. Yo no he visto nada, pero me gustan esas noches de amor del mar con el sol. Ese amor reposado, largo, limpio.

El sol se aleja del horizonte y se va elevando por el cielo. Hay unas nubes pequeñas y ligeras, de esas nubes que sólo se pueden ver en el mar.

La vida ha tomado formas agradables mientras mi barco me lleva, empujado por los alisios.

Por las noches puedo dormir sin tener que vigilar el tráfico de otros barcos, ni tener el temor de una tierra en mi camino. Por las noches se está bien sentado a la entrada de mi barco, mirando el cielo estrellado, oyendo los ruidos del mar. En esos momentos me gusta tomar conciencia de mi soledad.

—Estás solo, solo, solo...

Y la vida es más fácil, y me siento rico. Rico de cosas que no se pueden valorar, ni comprar, ni vender, ni medir.

Con mi soledad, y mi barco en movimiento, y la lluvia que algún día ha de caer, y ese aparejo que voy arrastrando por la popa y en el que en cualquier momento puede morder un hermoso dorado o un bonito, siento que soy capaz de cosas formidables.

Podría navegar hasta el fin de los mares o hasta mi muerte.

Soy rico porque soy como un planeta en movimiento.

Navega, navega, barquito, que el mundo es nuestro.

Voy viendo día tras día el sol salir del mar y trepar por el cielo hacia su cenit.

Cuando el cielo está azul y el sol se refleja en el mar, el agua brilla y las olas toman relieves increíbles. Pienso que si el sol se detuviera, todos estos relieves se inmovilizarían. También nos inmovilizaríamos mi barco y yo. Entonces el tiempo dejaría de existir.

Cuando hay nubes, los colores cambian y las olas no son nunca las mismas. Las nubes que vienen de muy lejos desperezan mis pensamientos y agitan algunos de mis recuerdos. Pero luego se lo llevan todo como si fuera algo muy, muy ligero.

Las nubes, al pasar por encima de mi barco, me traen la vibración dolorosa de alguna tristeza vieja o la punzada de alguna pena que no sé de dónde viene pero de la que soy culpable. A veces me traen sonrisas y mensajes disfrazados que yo me divierto en descifrar.

Cuando estoy cansado, o aburrido, o desilusionado, las nubes no me traen nada, pasan y se van, las unas detrás de las otras, vacías y grises, hacia destinos indeterminados. A mí no me importan las nubes esos días.

Nunca pensé que aquí hubiera tanta vida. El agua hierve por todar partes, llena de peces. Es imposible mirar en una dirección y no ver alguno que salta por los aires o que cae en el mar salpicando alegremente. Las sardinas, en bandadas grandes y elegantes, corren atemorizadas, pero sin perder el orden, perseguidas por los bonitos. De vez en cuando veo algunos atunes.

Durante tres días un grupo de enormes dorados sigue a mi barco. Nunca pierden distancias, ni rompen la formación. Sus sombras, no muy perceptibles, son hermosas. Es una extraña compañía. Por la noche dejan hirvientes estelas fosforescentes.

(Atlántico y Caribe)

Atento y con cuidado voy tirando el aparejo hacia mí. En la estela del barco salta rápido, con reflejos amarillos, un enorme dorado.

Treinta metros, veinte metros, diez metros, y lo tengo al fin al lado de *Mistral.* Excitado y admirado, lo veo cómo zigzaguea. Y rasga las aguas como si fuera un rayo verde.

Me cuesta sacarlo. El peso de su vida me corta las manos.

El dorado es hermoso. Mide más de un metro. Tiene un color amarillo brillante con pequeños puntos de aspecto áspero.

Mostrándome toda su belleza abre la boca y se agita convulsivamente, en angustiosos espasmos. Luego cambia de color y se viste de azul.

A mí me duele destruir su bella vida. No me gusta matar por matar, ni destruir por destruir.

Lo sangro y lo abro en sección y le corto la cabeza que luego tiro al mar. El acto es sangriento y mis manos se tiñen de rojo.

Saco cuatro filetes, dejando la espina limpia y la cola intacta. Una parte la guardo para mi comida de hoy y el resto lo pongo a secar. Luego baldeo la cubierta.

Los peces voladores deben sentirse felices cuando tienen olas rompientes. Es un espectáculo seguirlos en sus evoluciones. De vez en cuando se les ve rebotar en las crestas.

Por lo que veo, su vida es agitada. Los bonitos y los dorados los persiguen encarnizadamente bajo el agua, y entonces ellos tienen que salir y volar desesperadamente. De vez en cuando rebotan en una ola y cambian de dirección, despistando a sus perseguidores.

Ocurre muchas veces que un pájaro que espía sus movimientos se lanza a su captura. Ello hace que su vida de voladores resulte también peligrosa.

El vuelo de estos peces es tan alto que, por las noches, vienen a chocar contra mis velas, cayendo después y muriendo en la cubierta del barco.

Día sin viento. Día de calma. El mar se mueve como si su superficie fuera la piel de un ser gigantesco. Las olas se han esparcido y ruedan muy lentas. Sinuosas. Sin rumbo alguno. A veces, dos olas se juntan. Entonces, sin ninguna brusquedad, surge una suave pero alta colina.

El mar parece una agrupación infinita de colinas azules que cambian constantemente de situación. Sus valles corren en todas direcciones.

Cuando el barco es subido a lo alto de estas olas, veo un horizonte largo e impresionante. Recibo también entonces el abrazo de una suavísima brisa.

Me voy liberando poco a poco de todo aquello que fui viendo y aprendiendo en aquellos años de colegio. Sin darme cuenta voy superando aquellas taras que sembraron en mí y me voy escapando de aquellos temores y de aquellos escrúpulos absurdos para volverme a la naturalidad del hombre que debo ser. Pero... qué difícil es quedarse limpio..., limpio, como si nada hubiera pasado.

Me voy liberando y noto que me siento mejor. Y descubro que la vida es algo terriblemente importante que no se debe malgastar ni vivir a medias.

Ya no estoy enfermo. Pocas cosas me estorban. Ahora, cuando disfruto, lo hago sin miedos de castigos; y cuando me paseo, voy sin temores de tabús; y cuando escribo, no llevo conmigo ni reglas ni tradiciones. Mis alegrías y mis tristezas corretean por el papel y no me asusta que me juzguen.

Mi alma se va limpiando. Y cuando miro hacia adelante sólo veo un horizonte despejado por el que me gusta andar descalzo y libre, como un pájaro. Libre de catecismos, y de gramáticas, y de geografías. Libre de pecados, porque yo... no peco.

El infierno no me asusta. ¿Por qué me había de asustar? ¿Es que acaso existe?

Hoy me han despertado los gritos de los pájaros.

Eran gritos de niños, divertidos y asustados ante algún descubrimiento. Me he asomado. Acababa de amanecer. Un grupo daba vueltas, curioso, alrededor nuestro. Tenían un pico ancho y rojo, y su cuerpo era fino, de un hermoso blanco. Como cola tenían una pluma, larguísima y delgada.

Parecían jóvenes. Me he escondido para ver si se posaban en el barco, pero no lo han hecho. Son pájaros tropicales.

¿Por dónde voy? ¿Por los caminos de la tierra? ¿A través del tiempo que se mueve? ¿O por ese mundo interior infinito que es mi yo?

Voy conmigo. Voy conmigo. Voy a través de mí y nadie me molesta y nada me distrae. Yo soy mi camino. Y mis océanos. Y mis montañas.

Mi viaje no lo podré explicar. Yo no he estado en ningún sitio.

¿Qué es esta fecha de hoy? ¿Qué significan los años que yo tengo cuando el cielo y la mar que me rodean desde hace semanas son los mismos cielos y la misma mar que estaban aquí hace cien años, mil años, hace un millón, cuando el cielo, la tierra y el mar fueron creados?

Mi alma no es nada. Una sucesión de olas y de azul y de pensamientos vagos, sin base alguna, y de estrellas y de soles que salen en el horizonte y se vuelven a ocultar después de dibujar una parábola en el cielo.

Ceno carne en conserva que caliento en mi infiernillo. Y tres boniatos cocidos. Los boniatos son dulzones y carnosos. Se comen con gusto.

Bob Dylan canta. Habla del viento.

¿Cuántos caminos debe un hombre andar para que lo tengáis por hombre?

¿Cuántos mares debe una blanca paloma surcar para poder descansar en la arena?

¿Cuántas veces ha de mirar un hombre hacia arriba para poder ver el cielo?

¿Cuántos oídos debe un hombre tener para oír los lamentos del pueblo?

¿Cuántas muertes más habrán de tomarse para que se sepa que son ya demasiadas?

¿Cuánto tiempo puede un hombre fingir pretendiendo no ver lo que ve?

La respuesta, amigo, está sonando en el viento.

La respuesta está sonando en el viento...

En la noche mía, encima de todos los vientos, lejos de todos los pecados de los hombres, brillan la Osa Mayor y Orión.

No hablo nada, salvo alguna exclamación de cuándo en cuándo, contra algo o a causa de algo que me complace o me disgusta. También me río cuando leo algo gracioso.

Canto mucho. Fuerte algunas veces, tomándome en serio mi papel. Suave otras, despreocupado, como un simple tarareo. En realidad no hay nadie a quien molestar y puedo hacer lo que me viene en gana.

Los días resbalan felizmente. Algo agitados e incómodos los unos, indolentes y soleados los demás. Pero siempre, caída ya la noche, vivo una extraña sensación de paz y libertad.

El atardecer y la noche son, con mucho, los mejores momentos del día. Esas puestas de sol, tan suaves unas veces, tan desgarrantes otras, que cada jornada se retrasan algo más, son un regalo. Son un premio que me llega del cielo.

He descubierto que me gusta más la caída del día y el brillar de las estrellas en su paseo por el firmamento, que el amanecer incoloro y algo frío.

Prefiero también las estrellas a la luna, aunque ésta sea llena e ilumine el mar como si fuera de plata o de cristal.

Incluso estando cansado, me cuesta acostarme. Me parece que es perder algo bello el dejarse ganar por el sueño.

Las estrellas son algo importante en las acciones y la vida de un hombre que vive solo, su atracción es pura, y más sincera que otras muchas atracciones.

Cuando me duermo, el brillo de estos miles de pequeños fuegos en el cielo ya oscuro se mantiene, fuerte y brillante, hasta el último momento en los recovecos de mi alma.

Clarea, pero sin luces ni colores. La mar se agita, negra y con olas grandes y deformes, pero sin detalles. Todavía está muy, muy oscuro el día. El cielo es gris mustio con zonas muy apagadas, casi tenebrosas, que me traen escalofríos. Acabo de reducir mis velas, pues aun medio dormido he sentido que mi barco corría peligrosamente.

Ahora ya no quiero mirar hacia afuera, y tumbado en mi litera doy vueltas y vueltas, envuelto en mi manta toda húmeda.

Quisiera volverme a dormir.

Llueve fuerte y casi sin descanso. Esto da a la superficie del mar un aspecto fantasmagórico. Hay planos de aguas que se acercan y se alejan caprichosamente, movidos con arte de magia por unas espesas brumas.

Las gotas de la lluvia rebotan, y saltan, y ruedan por las aguas como si éstas fueran una superficie dura.

Olas sin alegría van y vienen, mostrándome brillos tristes, hostiles y vacíos.

Todo está mojado y el corazón se me encoge como para no enfriarse, como para no dejar escapar mis reservas de optimismo.

Parece que la vida se quiere esconder, quiere jugar conmigo, quiere demostrarme que no soy tan fuerte como pretendo ser.

(Atlántico y Caribe)

Algunas olas revientan alrededor. Su revuelta masa tiene algo de maldad. El barco navega solo, con la vela mayor bien recogida y la botavara levantada. A proa, los dos foques, abiertos uno a cada amura, están tensos y tiran del barco con fuerza y firmeza.

El viento es tan fuerte que muchas veces temo que algo no vaya a aguantar y se me rompa.

Navego muy rápido, voy planeando por las olas en dirección oeste. Detrás de mí voy dejando un remolino fantástico en las pendientes de las olas. El espectáculo es vertiginoso y no parece pertenecer a ese mundo de los hombres que yo empiezo a olvidar.

Tengo la cabina cerrada porque a veces alguna ola me viene demasiado atrevida. Y porque la lluvia, empujada por el viento, viene con fuerza de la popa y en unos segundos me lo mojaría todo.

Pienso que el sol no acudirá hoy a su cita conmigo y ello me da cierta pena. Tampoco podré calcular mi posición, pero esto, en medio del océano, lejos de toda tierra, carece de importancia.

Me he preparado un té caliente, y desayuno, comiendo sin muchas ganas algunas galletas.

Como casi siempre que cocino, me organizo en el suelo. Sería imposible, con tanto movimiento, dejar nada en la mesa. Desayuno sin prisas, dando al acto una gran importancia. Este nuevo día lo llenaré así, de pequeñas ceremonias parecidas a ésta.

La cabina está cerrada y el aire está viciado por el arder del infiernillo. Tengo un poco de sofoco y siento la cabeza vacía.

Llueve, llueve casi todos los días. Al principio esto ocurría sólo por las tardes o por las noches, pero ahora llueve en cualquier momento y a cualquier hora.

Por lo general, son simples chaparrones y escampa pronto. Luego aparece casi siempre un bien plantado arco iris. A pesar de su insistencia, estas lluvias no me molestan ya. Cuando cae agua, haciendo calor, me quedo fuera a dejarme mojar. Cuando esto ocurre por la noche, escucho complacido el tamborileo de las gotas en la cubierta del barco.

Su canto continuo, fresco y repetido es como una caricia para mis pensamientos. La cabina de mi barco me da entonces una auténtica sensación de ser un refugio. El oír la lluvia, el oír el ruido de la lluvia encima de mí, es una de las mejores sensaciones que conozco.

En mi cabeza doy vueltas a otras lluvias y a otras ropas mojadas, y pienso en otros lejanos corazones bien calientes.

Allá, por mi tierra, también llueve. ¿Por qué me había de asustar la lluvia?

Rojo, naranja, amarillo, verde, azul, añil y violeta.

El arco iris está difuminado entre las nubes, la lluvia y el cielo. El violeta acaricia los sentidos, risueño como un cuadro de Chagal.

Voy rápido, muy rápido. Tengo una sensación hambrienta de vivir y no me conformo ni con estar ni con existir. Así soy hoy. Los recuerdos pasaron y pudieron ayudarme. Pero no lo son todo. «Fueron» algo bonito que ya quedó atrás.

Mi barco avanza por el tiempo. Mi cuerpo avanza por el tiempo. Me gusta este presente, el de hoy, el de ahora, navegando por el mar. Mi presente tiene relaciones actuales y directas sobre todo lo que hay alrededor, tiene un sentir acaparador y palpable, y unos dolores y unos gustos penetrantes, absorbentes. Siento como la delicia de reconocer lo que hay en mi espíritu.

Voy rápido, muy rápido. Voy lento, muy lento.

Y me digo: «¡Hola, Julio! ¡Buenos días!»

Un pingüino

Bien protegida del viento y de la mar por un islote de chumberas, se abre la bahía de las focas.

En las dos playas de arena blanca y en el estrecho arrecife que va hasta el islote cuando la marea está baja, duermen y gruñen numerosas colonias de focas. Están agrupadas en grandes familias, instaladas cada una en una playa o en un sector de arrecife bien delimitado.

Tienen la piel lustrosa y brillante cuando nadan o, al salir del agua, cuando aún están mojadas. Pero luego se vuelven mates, suaves y agradables, cuando, secas, retozan al sol.

Yo las miro, las miro sin cansarme. Puedo pasar horas y horas pendiente de todo lo que hacen, espiándolas.

Las hembras son pequeñas, femeninas, asustadizas.

Los machos, corpulentos, torpes, agresivos.

Las madres esconden a sus crías lejos de la playa o de las rocas, debajo de algún tupido matorral. Las cuidan y las vigilan con mimo, con verdadero cariño. Éstas son escenas entrañables.

La estampa de estos animales perezosos durmiendo como benditos, dejándose calentar por el sol, es divertida. Sus despertares tienen mucho de humanos. Se estiran, bostezan, cierran y abren los ojos, gruñen de bienestar, o de sorpresa, o de incomprensión, suspiran, ronronean.

Sólo los grandes machos me imponen respeto; los temo. Cuando me acerco demasiado a ellos, me suelen mirar amenazadores, y se levantan, y su torpe y pesado cuerpo se pone en movimiento, persiguiéndome, mostrándome sus largos colmillos, en medio de fortísimos gruñidos.

A veces, con un par de pedradas, lanzadas con gesto valiente, se puede poner fin a sus bravatas.

(Galápagos. Isla Barrington)

Cuando nado, cuando pesco buceando, me gusta jugar con las hembras. Son tan grandes como yo. Les gasto bromas, nado al lado de ellas, las miro y me dejo mirar, buceamos juntos hasta las rocas del fondo, y a veces, hasta las tiento un poco con los peces que he pescado. Es como un baile, elegante, bonito de verdad.

De los machos me escapo, procuro no encontrarme en su radio de vigilancia. Son furibundos, rápidos, rabiosos, y nadan de maravilla. Estoy convencido de que un encuentro con ellos podría terminar muy mal. Muchas veces, por ellos, me tengo que salir del agua.

La quietud del interior impresiona.

En algunos lugares hay unos bosques de oloroso palosanto, desnudos de hojas, pero con unos largos y extraños líquenes de color verde claro que cuelgan de sus ramas. Hay matorrales verdes, que son la única nota de frescor que existe en el ambiente, y hay chumberas gigantes, quietas como centinelas. Cuando en mis paseos tengo sed, corto con mi navaja un tallo, elegido entre los más tiernos, y, pelándolo con cuidado, chupo su humedad.

A mí me gusta el interior de esta isla, tan seco, con sus colinas resquebrajadas y sus lechos de ríos por los que jamás bajó el agua. Todo está como detenido bajo la vigilancia implacable y ardiente del sol. Me gusta darme grandes paseos recorriendo valles, siguiendo por la arena las huellas profundas dejadas por las colas de las iguanas, o dejándome sobresaltar por el fulgor de alguna pequeña serpiente que sale de las piedras, justo debajo de mis pies.

Me suelo topar con cabras solitarias, delgadas y montaraces, que salen corriendo, trepando rocas arriba, hacia las crestas.

A veces me acerco hasta los mirlos o hasta las palomas torcaces. Y los mirlos se me paran en la cabeza, hundiendo sus finas patas en mi enmarañado cabello. ¡Me han confundido con una chumbera! Entonces yo les hablo, les digo cosas bonitas, incoherentes, tontas. Les hablo sin poderlos ver, pues están en mi cabeza, y mientras hablo, miro a las llanuras desiertas. Respirando a gusto. Dando gracias a la vida.

—¡Mirlo!, ¿sabes que pesas muy poco?

La luna está llena. Redonda. Brillante.

En el mismo abrigo estamos fondeados tres veleros. *Ophélie, Kantreidi* y *Mistral.*

Hemos cenado en *Ophélie* y nos hemos retirado cada uno a nuestro barco. No era ni muy tarde ni muy temprano cuando nos hemos ido remando en nuestro chinchorro. Habíamos hablado un rato, como cada atardecer, pero creo que hoy todos teníamos ganas de estar a solas.

Está tan bonita la luna esta noche...

Los tres barcos están quietos, descansando, recortándose en la palidez de la noche, en su isla desierta.

La playa brilla y se ven las siluetas de los matorrales y de los árboles de la isla. Las colinas se dibujan claras, inmóviles. De vez en cuando, muy de vez en cuando, se oye el ladrido o la tos de alguna foca.

Del barco de Pierre, no muy lejos del mío, me llegan limpiamente los sonidos suaves de su flauta. Yo no veo a Pierre. Debe de estar sentado, solo, en el puente. Vestido con su viejo *short* y su vieja camisa, debe de estar soplando, con los ojos cerrados, por la caña de su flauta.

Toca, Pierre, sigue tocando. Que lo haces bien. No te retires tan pronto, que se está muy bien aquí, con esos sonidos que tú lanzas a la noche y con esa luna tan grande, tan grande, tan grande...

Será ya de madrugada. Lo digo porque mi luna ha recorrido ya más de medio cielo. Me iba a acostar, y no sé por qué, al entrar en la cabina, he puesto la radio. ¿Será que no quiero dormir todavía? Porque la verdad es que no creo que tenga hoy la necesidad de saber lo que ocurre entre los hombres. En esta isla desierta, con sus iguanas, sus chumberas y su luna, me siento bien y no tengo añoranzas de lo que pasa en otros lugares del planeta.

Hablan de la Luna. Una radio repite la noticia. Lo hace dando gritos excitados, peor que un charlatán de feria. Me cuesta entender, me resisto a creer lo que está diciendo.

«Apolo» ha llegado a la Luna. Por primera vez en la historia, el hombre llega a su satélite. Y por si esto fuera poco, filma sus evoluciones por allá y las transmite en directo a las televisiones de la tierra.

Apago. No puedo comprender. Mejor hubiera hecho de no ponerla... esa radio maldita.

Salgo de la oscuridad de mi cabina y miro a esa Luna, que ya no es la misma de antes... la mía... la que yo he mirado toda esta noche hasta la madrugada... No es esa, no. Algo me duele. Quiero llorar...

¿Qué te han hecho, Luna? ¿Por qué?

Silencio. Silencio. Soledad. Y luna grande, blanca, femenina. Tristeza.

Para tener provisiones para los meses por venir, Pierre y yo pescamos. Y luego salamos y secamos el pescado. Nuestros dos barcos huelen a salazón y a víveres abundantes. Hay escamas resecas en las cubiertas y cuelgan en entrecruzados tenderetes de cuerdas ristras de filetes de pescado puesto al sol y al aire fresco. Nuestros días están bien ocupados.

Hoy un bando de sardinas se ha metido debajo de las sombras de nuestros barcos. Parece una nube oscura y quieta. Hemos echado cuatro o cinco veces nuestra pequeña red de fondeo, lo único que poseemos, y hemos conseguido sacar casi tres cubos de estas vidas plateadas. Cenaremos esta noche un par de docenas de sardinas asadas en la playa y el resto lo salaremos para el próximo viaje.

Hace sol y uno se siente bien con un presente y un futuro tan opulentos.

La red está en el fondo y nosotros la miramos con cariño, escrutando a través del azul de las aguas. De vez en cuando saltamos al mar, lejos del bando, y damos manotazos para espantar el pescado y meterlo en el trasmallo. Pero la corriente de Humboldt es muy fría y no se puede nadar mucho tiempo.

Hay un pingüino que nos inquieta. Acaba de venir de la dirección de la playa y está pescando en el bando de sardinas. Tenemos miedo de que se meta dentro de la red y no podamos sacar ésta a tiempo. Un pingüino no puede vivir mucho tiempo bajo el agua. Por eso no perdemos de vista a este pájaro y decidimos sacar la red y detener la pesca, puesto que ya tenemos abundantes reservas.

El pingüino ha caído en la red antes de que pudiéramos sacarla y no ha podido desprenderse. Pensamos que está muerto. Está en cubierta, inmóvil, desarticulado, como un muñeco de peluche. Yo le hago la respiración artificial, soplando por encima de su pico. Se la hago sin esperanzas, pero insistentemente. No sé. No sé lo que hago. No sé si lo hago bien. No sé si vale la pena hacer la respiración artificial a un pingüino muerto. Porque ya está muerto.

Por la noche cenamos en la playa langosta y sardinas asadas. Es una cena triste y alegre. Triste por ese pingüino que ha muerto por nuestra culpa. Alegre por nuestra vida. Por lo que nuestra vida nos da.

(Isla Floreana)

Rocas de formas extrañas, siluetas perfectas de lejanos volcanes que salen de entre las nubes, y un constante cortejo de inefables animales me muestran un mundo que, si bien es el mío, tiene todo el sabor de lo que fue la tierra hace millares de años, allá por la prehistoria.

Mistral sube canal arriba, arrastrado por una fuerte corriente y empujado por un viento fresquillo; me parece que quiere volar.

Nunca había visto a los delfines dar saltos tan fabulosos. Me escoltan durante horas y horas varias docenas, y en el horizonte veo constantemente varios centenares. A veces un grupo lejano se me acerca, curioso, nadando veloz, como haciendo carreras. Con una elegancia que me impresiona cortan las aguas y dan volteretas y caen luego en medio de maravillosas zambullidas. A veces, cuando veo que tres delfines salen del agua y dan, todos a un tiempo, un salto mortal en el aire, me convenzo y me juro que estos animales son conscientes de lo que hacen y se quieren divertir con esos números sólo porque a mí me han de dejar impresionado.

Varias focas me siguen, pero sus movimientos, aun siendo rápidos y holgados, no tienen ni la *démarche* ni la armonía de los movimientos de los delfines. Sus resoplidos me divierten.

¡Mira cómo nadan las focas, así de presurosas, sacando su hocico de costado! ¡Consiguen respirar sin perder su ritmo!

Cuando, algo despistadas, dejan de ver bajo el agua el rojo casco de mi barco, se paran, y, sacando la cabeza y estirándola muy alta para poder ver a sus anchas, pegan un resoplido, algo así como un gran estornudo, y zambulléndose de nuevo prosiguen mi persecución.

No comprendo como mi barco es motivo de tanta curiosidad.

Hay bandadas de pájaros que parecen nubes. Nubes formadas por miles y miles de vidas. Pero también hay alcatraces solitarios, y rabihorcados testarudos, y albatros atléticos, y petreles juguetones, y muchos, muchos pájaros más, que yo no conozco.

(Canal de Isabela)

Esta isla me gusta, creo que desde que la vi aquel amanecer cuando apareció en el horizonte. La forma de sus montañas y sus costas pequeñas y recogidas son una invitación a quedarme en ella. Lo único que me inquieta es esa bandada de rayas manta gigantes que dan vueltas y vueltas por las proximidades de la playa cada vez que voy a desembarcar.

Mi isla es una isla risueña cuando hace sol, melancólica cuando el cielo está gris y algo lúgubre cuando el cielo llora. Pero, en la vida, ¿no es todo así?

En mi isla hay pequeñas montañas de bellas siluetas cubiertas de matorrales. Cerca de la playa hay una pequeña laguna de aguas saladas donde vive una señorial colonia de flamencos.

No sé por qué, pero en mi isla desierta el corazón tiembla fácilmente y los estados de ánimo se renuevan como el viento que respiro. A veces, casi sin transición, siento que paso de una intensa alegría a una extraña y tenaz melancolía.

Son las nubes, sí, son las nubes las que, cuando juegan con el sol, juegan con mi alma.

Ando. Paseo. Trepo montañas. Observo a los pájaros. Acaricio a las crías de las focas. Busco cangrejos. Corro desnudo por la playa. Me siento en las rocas. Sigo desde los acantilados las evoluciones de las rayas gigantes. Espío al sol que se va. Me escondo y miro sin ser visto a los flamencos que se bañan. Me duermo en la arena. Me despierto. Me río. Sonrío a las estrellas.

Esto es todo. Estoy en mi isla desierta.

(Isla Rábida)

Esta tarde he estado en el otro lado de la isla. He subido a una cumbre y luego he enredado por la costa, saltando por las rocas y viendo si encontraba sin necesidad de bañarme alguna langosta entre los pozos de las piedras.

A la vuelta, desde un collado de donde se veía la playa en la que estoy fondeado, he descubierto que mi barco estaba terriblemente lejos de la costa. El viento y la corriente lo arrastraban hacia alta mar.

He corrido y corrido, con el miedo metido en el cuerpo, y con la idea de que perdía mi barco y me quedaba solo en esta isla en la que no hay ni tan siquiera agua dulce.

Y remando en mi pequeño chinchorro, remando hasta agotarme, con la angustiosa sensación de pensar que si no lo lograba alcanzar jamás sería capaz de volver a la isla remontando la corriente, he dado alcance a mi barco, lejos, muy lejos ya de la tierra, casi al límite de mis fuerzas.

Subo a bordo. Agotado. Excitado. Con todas mis ganas de llorar dándome brincos por la garganta.

El ancla cuelga en el agua a más de cincuenta metros de profundidad, con toda su cadena tensa pero sin llegar a tocar fondo.

Subo el ancla febrilmente, con unos brazos que ni siento de atrofiados que están, de agarrotados que están, y la pongo con cuidado en el puente. Luego izo las velas y tirando bordadas me vuelvo hacia esa tierra que ya está lejos.

Si mi paseo por el otro lado de la isla dura diez minutos más, mi barco hubiese quedado tan fuera de mi alcance que sin duda alguna ni me hubiese atrevido a intentar alcanzarlo, y ahora me encontraría llorando como un desgraciado, paseándome por mi playa.

La tarde cae cuando fondeo de nuevo. No ha pasado nada. Pienso en mi cena, pienso en mañana. Mañana... ¿No es maravilloso poder pensar en mañana?...

Las rayas mantas son unos animales caprichosos e infantiles a pesar de sus monstruosas corpulencias. Tienen una envergadura que a veces alcanza los cuatro metros entre los dos extremos de sus alas. Llegan a pesar varias toneladas. Son unos animales bonachones e incapaces de ser malos, pero son tan enormes sus cuerpos y desmedidas sus fuerzas, que cualquier tropiezo con ellos puede resultar peligroso.

Las he visto a veces por docenas, retozando en las aguas poco profundas de las cercanías de la playa, y son tan grandes sus lomos que llegaban a cambiar los colores del mar. Las he visto también saltando fuera del mar y cayendo luego con gran estrépito, levantando columnas de blanca espuma. A veces con mi barco he pasado al lado de ellas y las he visto ponerse boca arriba, curiosas, enseñándome su cara y su vientre blancos; entonces la mar, justo debajo de *Mistral*, se teñía de blanco, de un blanco azulado, y yo creía que me iban a levantar y volcar mi barco por el aire.

En Polinesia cuentan que este animal es tan curioso que, cuando ve a un buceador, se pone por encima de él sólo para mirar sus evoluciones. Dicen que más de una vez ha ocurrido que, cuando el hombre, al límite de aire, ha intentado remontar a la superficie, se ha encontrado sobre su cabeza esa inmensa manta que con su sombra y su gran envergadura le ha impedido llegar hasta arriba a tiempo. Y ha muerto asfixiado.

Las mantas son como niños grandes y curiosos. Suelen nadar en fila, siguiéndose las unas a las otras, en lentas procesiones, como los gusanos orugas. Las he mirado tardes enteras mientras evolucionaban en pequeñas bahías. A veces, cuando la primera de la fila, después de una gran vuelta, encontraba a la última, se pegaba a su cola tenazmente, formándose un gran círculo que se ponía a dar vueltas durante horas y horas.

Me habían dicho algo a lo que yo apenas podía dar crédito. Según muchos marinos, la raya manta sigue y empuja todo aquello que encuentra por delante. Por simple juego. Me habían dicho que, cuando encontraban en su ruta el cabo de un fondeo, lo empujaban con tanta fuerza y entusiasmo que llegaban a arrancar el ancla de la arena y conseguían arrastrar los barcos hacia alta mar. Varias pequeñas embarcaciones habían desaparecido de esta forma.

En mi isla desierta fue lo que ocurrió con *Mistral*. Una manta lo arrastró hacia alta mar. Mi barco estuvo a punto de seguir ese camino. Estuve a punto de convertirme en un Robinsón más. ¡Perdí mi oportunidad!

¿Sabes, pájaro?

Estoy sentado a la sombra de mis velas, al este de mi barco. El sol se va ya hacia el Oeste.

El barco navega suave por una mar sin olas. Dejo mi mirada perderse en el azul del horizonte y esto me llena de tranquilidad. Cuántos horizontes han visto mis ojos...

En el cielo hay unas nubes que parecen corderos muy largos. Corderos larguísimos. Me dan una maravillosa sensación de tiempo detenido.

Mi horizonte es circular y estas nubes forman como deshilvanados anillos de espuma, como ideas incoherentes, como miradas de cosas sencillas, de sencilla importancia.

El mar es sólo azul salvo en la estela de mi barco, donde se dibujan chinescas y revoltosas formas plateadas, como riachuelos de estaño fundido.

El mar quiere ser agradable conmigo.

De vez en cuando, cerrando los ojos, busco y enredo en las notas de mi armónica. A mi armónica la puedo hacer llorar por sus dos lados. Por el uno, su sonido es grave, y, por el otro, cantarín. Sus notas me hacen compañía. Al acercarla a mis labios entreabiertos, la brisa, como una niña atrevida y ansiosa, se me adelanta y suenan en mis oídos unas notas graves y agudas, de maravilloso sabor mágico.

(En mitad del Pacífico)

Aquí no hay más que mar y estrellas. Ni tan siquiera tengo luna estos últimos tiempos.

Ahora puedo salir de noche sin pasar frío y ser feliz, mientras, rodeado de tinieblas, cambio una vela o tanteo con mis manos las poleas de mi barco. El aire de la noche es limpio y fresco. Me gusta escrutar esas tinieblas sentado, desnudo, en el puente. Todo es encantadoramente tranquilo.

El hecho de estar casi parado sobre el mar a más de dos mil millas de toda tierra habitada, es algo que, en estas noches de calma, no excita mis prisas. No las tengo, esas prisas.

Estoy lejos de los miedos y de los temores y de las ganas de correr. Estoy lejos de tierra. Aquí no hay más que mar y estrellas. Y dentro de unos días me volverá la luna.

Mar, estrellas.
Estrellas, mar.
Mar y sol.
Sol y estrellas.
Estrellas y julio.
Julio y mar y sol.
Es mucho lo que tengo...

Me he despertado tarde. Se oía el resbalar del agua por el casco y esto era delicioso y agradable. La luz del sol entraba a raudales en la cabina, reviviendo el color de todas mi viejas cosas. He espiado la aguja del compás y he visto que mi ruta era buena.

Me he revuelto en la litera, sabiendo que no había prisas, que todo estaba bien, que todo estaba en equilibrio, que no tenía ni qué decir ni qué hacer para justificar este nuevo día.

He bostezado. Me he estirado. Me he vuelto a estirar con mi cuerpo medio despierto, y así ha pasado mucho tiempo, no sé cuánto. Dentro de mí se mueven mil sensaciones de vida, de presente, de porvenires claros, de mañanas de domingo.

Afuera me espera un milagro, una sorpresa. El milagro y la sorpresa de cada día que empieza. Afuera están el mar y el cielo. Afuera hay un sol muy alto que me espera para decirme: «¡Buenos días! Te he preparado una buena jornada. Hoy también estaremos solos. Solos con las nubes. Echa el aparejo al agua, pues veo que hay mucho pescado cerca de nosotros.»

Por eso me levanto y salgo al calor, a la luz, a mirar a la mar en la que no hay nada que no sea lo que había ayer, y lo que habrá mañana. Con gestos adormilados dejo correr el aparejo, que se va quedando atrás, blanco, saltarín, como un pez vivo.

Lleno un gran cubo de agua y, en pie, bien plantado sobre mis piernas, me lo vierto, dejando correr el frescor desde mi cabeza soñolienta hasta los pies. Me digo que estoy sintiendo algo hermoso. Con toda esa agua resbalando, rebotando, metiéndose por todos los recovecos de mi cuerpo. Es hermoso, íntimo, entrañable. Soy un animal. Soplo y resoplo. Soy un hombre.

En el silencio de mi mente resuena una canción que sólo la oigo yo. El tiempo no existe. No hay prisas. Los que corren no saben nada de la vida, están locos.

Me he secado vigorosamente y me dejo ganar por la sensación de estar por fin bien instalado en mi día.

Me siento, al lado del infiernillo. Noto las asperezas de mi manta rozándome las nalgas y las piernas. Tengo mis largos cabellos en batalla, con unos tirabuzones empapados que se me apoyan en los hombros. Tengo el cuerpo ilusionado por ese desayuno que me voy a preparar. Tengo el espíritu de un colegial que vive en vacaciones.

El día empieza...

Durante el día miro las nubes para adivinar cómo será el viento de la tarde o recorro con la mirada la superficie del mar para descubrir el revoloteo de algún grupo de pájaros, pues debajo de sus vuelos siempre hay bandos de pescado.

Durante el día me ocupo de mi barco que navega.

Durante el día miro esa estela que va quedando atrás, en mi camino.

Al anochecer consulto a las estrellas para saber dónde estoy; ellas me confirman si mi vista es buena.

Me gusta mirar, mirar, sentir cómo sin esfuerzo puedo llegar al más allá de todo.

No sé, pero estos días, en esta mar siento renovarse en mí unos sentimientos de una sencillez y de una pureza que sólo hace muchos, muchos años, cuando era un niño, era capaz de sentir.

Estos horizontes reviven en mí el recuerdo de muchas viejas resonancias.

He oído un largo resoplido y como un desplazarse de agua y, dejando de un gesto este libro que estoy leyendo, he salido rápido afuera.

En el mar se pasean unas lentas e interminables ondas. Una imperceptible brisa les da un algo especial. El horizonte, con temblores en sus colores, no está llano, sino que es como una sucesión caprichosa de pequeños espejismos. Parece que a las células del planeta les ha dado por moverse, por unirse, por danzar todas juntas, meciéndose en impresionantes y parsimoniosos vaivenes.

El sol sube. En el centro del cielo, en lo alto de su cúpula, el azul es intenso y puro mientras que pierde su fuerza y palidece allá donde se apoya en la línea del mar.

Resplandeciente y quieta, una pequeña nube blanca flota en la mañana.

El resoplido que he oído ha debido de ser una ilusión.

He oído otra vez ese largo resoplido. Algún pez gigantesco se mueve bajo el casco de mi barco y esto me produce un escalofrío y despierta en mí un miedo lleno de curiosidad.

Esta vez salgo a tiempo de ver tres inmensos remolinos redondos, de superficie lisa pero agitada, como unas aguas que hierven.

Fhss... fhss...

Y la cabeza de un cachalote asoma grande, chata y risueña. Y un cuerpo interminable empieza a resbalar como un algo sin fin. Una aleta oscura, mate, áspera, corta las aguas al final y el todo desaparece debajo de la mar.

Mi barco es muy pequeño al lado de este enorme animal.

Toda mi persona, todo mi cuerpo, se sustraen de la vida y mis reflejos se detienen, extáticos, ante esta visión prehistórica e irreal. Unas vibraciones de temor divertido pasan a través de mí.

Frente al barco se mueven, no uno, sino siete u ocho cachalotes. Sus largos cuerpos, cuando salen a respirar, relucen y brillan al sol. Tienen por lo menos diez metros de longitud y yo procuro no pensar lo que pasaría si a alguno de ellos se le ocurriera acercarse al casco para rascarse la espalda. Pero tengo confianza, pues me siento en mi lugar. Lo mismo que ellos. Nuestros destinos se han dado hoy esta cita.

Por eso trepo a mi palo y, sentado en la cruceta, con los pies colgando en el vacío, mirando a las cabezas de mis amigos, les digo poniendo en mi voz todo mi cariño:

—¡Eh! ¡Eh! ¡Eh!

Y ellos me contestan:

—Fhss...

—Fhss...

—Fhss...

Aquellas tres estrellas que van en fila la una detrás de la otra son Orión. Muchos las llaman las Tres Marías. Beltenguere y Belatrix son aquellas otras dos tan brillantes que les hacen escolta a un lado y al otro. Más abajo está Sirio, la estrella que mejor se ve entre todas las de la noche. La roja aquella que está en el extremo de aquel triangulito es Aldebarán, el ojo del toro. Y aquel grupito pequeño que centellea sonriente y lleno de misterio, aquel grupito que parece más lejano que los otros, son las Pléyades.

Mira Cástor y Pólux, las estrellas hermanas que siempre están juntas.

Y mira allá lejos Casiopea, y al otro lado el Cisne.

¿No son nombres bonitos y fáciles de retener? ¿No te dicen muchas cosas?

Me pregunto por qué nadie conoce las estrellas. Por qué nadie las mira, estando como están ahí, al alcance de la mirada, al alcance del corazón durante todas las noches de la vida. Creo que éste es un signo de insensibilidad.

Es más fácil hablar con las estrellas por sus nombres y retener las formas de sus constelaciones que estudiar todo lo que se estudia en los libros de las escuelas. Y sin embargo, muy pocos conocen las estrellas.

Si en la tierra de los hombres preguntas por tal o cual estrella, te mirarán como a un loco y te dirán que ellos no saben, no se ocupan de esas cosas inútiles.

Es más, no saben ni en qué fase está la luna, aun cuando la luna esté llena. Ya no viven en la tierra.

Un petrel negro niebla, bastante grande, revolotea alrededor del barco. Estamos lejos de tierra y pienso que mi visitante debe estar cansado y debiera descansar. Por eso le llamo:

—¡Petrel! ¡Petrel!

A veces, mientras vuela, mete una pata en el agua y parece dar unos pasos saltando por la mar.

Tic, tic, tic...

A veces mete su pico en el agua, y otras mete la punta de su pata en su fino y oscuro pico. Tiene unos movimientos llenos de infatigable curiosidad. Durante horas va y viene, y a veces, cuando lo veo alejarse, creo que se va a marchar y que no lo volveré a ver jamás.

Durante horas sigo hechizado el revoloteo de mi petrel y le hablo y le hago preguntas. Pero él vuela y vuela, sin contestar.

Sólo al final del día, mi pájaro se detiene en la proa. Y se queda como asustado, moviendo con sorpresa sus alas para mantener su equilibrio sobre este casco en movimiento.

Me gusta este pájaro y quisiera que se quedara conmigo para hacernos compañía. Tal vez pudiéramos repartirnos nuestras soledades.

¿Qué hacen estos seres que encuentro aquí, en medio del océano, a miles de millas de la costa? ¿Qué es lo que les gusta? ¿Dónde duermen? ¿Dónde descansan? Si jamás los veo posados en el mar...

¿Naciste en una isla o vienes de una nube y a ella te vuelves cuando te cansas del mar?

Porque estoy lejos de la tierra pienso que mi petrel está cansado y que debe descansar. Por eso le digo cada vez más suave:

—¡Petrel! ¡Petrel!

—¡Quédate, petrel! ¡Quédate!

Hay cosas que, cuando estoy solo, me molestan. Todo lo que sé y todo lo que he aprendido en mi vida se levanta como barreras que me impiden llegar hasta mí mismo. Mi estado perfecto sería el vacío, la nada, el estar desposeído de todo y serlo todo sin ser nada.

Tengo que conseguir olvidarme lo que he aprendido, perder el bagaje de mis conocimientos y quedarme desnudo, sin nada sobre mí.

Tú te paseas con tu cultura y tus libros metidos en la cabeza y yo busco la nada.

Pasear sin ir a ningún sitio, mirar sin ver, sentir sin sufrir ni disfrutar. Dejando pasar los días sin que yo los sienta porque para mí el tiempo ya no existe, pues estoy metido en la eternidad.

Muchas veces he pasado días enteros mirando a las llamas de un fuego y durante este tiempo no he pensado en nada. Esos días creo que han sido los más deliciosos de mi vida. De ellos no me queda ni el menor recuerdo.

Quisiera saber hasta qué punto los libros me han enriquecido. Se lee tanto por decir que se ha leído... Se habla tanto por hablar, por construir hermosas frases... por lucirse... por sentirse menos solo... por machismo...

Ha habido travesías en las que cada día he leído un libro. Travesías que han durado semanas y semanas. Estos tiempos han sido los más desgraciados y miserables de mi vida y por ello me refugiaba en la lectura, porque no podía soportarme a mí mismo.

Otras veces he conseguido ser yo, he borrado mis recuerdos, he olvidado mi cultura y me he quedado a solas.

Yo soy mi mejor amigo, soy aquel con el que puedo hablar y entenderme de verdad, soy aquel con el que a veces discrepo y riño pero con el que en definitiva me siento mejor.

Pero mejor que con nadie, mejor que conmigo, estoy con mi nada, con mi vacío.

Mi cultura me impide amar a la tierra, porque me distrae. Se lleva consigo a mi espíritu. Mis libros, mi música, me estorban.

Debo olvidar esa *bossa-nova* que me viene a los labios, cuando estoy solo con el sol.

Debo quedarme solo con mis silencios. Es la única forma de pararme en el presente y de existir en equilibrio.

Mi barco es un juguete, voy montado en un juguete. No sé si soy enano o gigante. Soy como cualquiera de los muñecos de Petruschka. Estoy navegando y voy hacia donde el viento me quiere llevar.

Je t'aime. Je t'aime. Je t'aime. Je t'aime. Bonjour. Bonjour. Bonjour.

¿Te acuerdas, Amparo? ¿Te acuerdas qué bonito era cuando nos bañábamos desnudos en aquella playa desierta?

Cómo nos reíamos. Cómo nos mirábamos y nos burlábamos de nosotros mientras jugábamos como niños.

Je t'aime encore. El tiempo, a pesar de todo lo que ha pasado después, no borra esas cosas. Te quiero aunque mi barco navegue conmigo, solitario, viviendo en sus lomos.

¿Te acuerdas? ¿Te acuerdas, Amparo? *Je t'aime encore. Je t'aime. Je t'aime. Je t'aime.*

¿Te acuerdas? ¿Te acuerdas? Qué bonito era cuando nos bañábamos desnudos en aquella playa...

Largas calmas y un corto vendaval cargado de lluvias me hacen pasar una mala noche.

Duermo poco, casi nada. En uno de mis sobresaltados despertares, al mirar afuera, he visto cerca de mí las luces de un buque. Eran las luces de popa y yo me encontraba exactamente en su estela. Ha debido de pasar rozándome... ¡Y no me he enterado! ¡Ni me he despertado!

A las cinco estoy ya en pie, pero sólo a las siete puedo izar las velas, pues el viento empieza a soplar. Una ballena de 8 a 10 metros pasa muy cerca de mí.

Con los primeros rayos de sol pongo a secar la ropa empapada por la lluvia. El barco se mueve mal, avanza sin ganas, haciendo ruidos, aunque se mantiene en la buena dirección. El sol va secando la ropa. *Mistral* parece un barco gitano con camisas, mantas, jerseys, *slips* y pantalones colgados de una cuerda bien tendida.

Al anochecer, estando casi parado en las primeras oscuridades, se presentó en mi horizonte una infranqueable zona negra. Mi ruta debía atravesar aquella zona. En el cielo se borraron las estrellas.

Aquella noche crucé una de las más impresionantes tormentas eléctricas que he conocido. Me recordaba aquella otra que me cogió una vez en la cumbre de una montaña y que me puso los pelos de punta y todas mis heridas y cicatrices me empezaron a picar. Recuerdo que la cruz metálica de la cima silbaba cargada de electricidad.

La mar anoche se puso negra, impenetrable. La pieza de hierro de la perilla de mi mástil se puso a brillar, fosforescente, iluminando las tinieblas. Y lo mismo ocurrió con la parte alta de la jarcia.

Hubo docenas y docenas de relámpagos, tan gigantescos que parecían iban a romper la noche. A veces el cielo se ponía azul.

Los truenos llenaron la cabina y me trajeron el miedo. Las heridas de mis pies me picaban de una extraña forma.

Pasé más de una hora de incertidumbre y de temores, hasta que los rayos se fueron calmando y los truenos se volvieron menos impresionantes y se fueron espaciando.

Después vino la lluvia. Una lluvia torrencial que cayó sin un soplo de viento. Casi me daba miedo respirar, pues tenía como el temor de consumir una ración de un aire que no podría ser renovado. Parecía que el puente del barco se iba a hundir con el peso y la fuerza de aquel diluvio.

La tormenta pasó y de nuevo las estrellas comenzaron a brillar.

Hoy mis ideas están agitadas. Se me revuelven como las nubes, como los pájaros, creando inesperadas y deliciosas conjeturas.

Hago descubrimientos y los voy escondiendo en los escondrijos de mi corazón.

—¡Gracias! ¡Gracias!

—¿A quién?

—Gracias a la brisa del anochecer.

¿Sabes, pájaro? Me gusta hablar contigo, aunque sé que no me escuchas.

Me gusta la belleza... Estoy enamorado de la belleza.

Me gusta hacer cosas bonitas...

Y arriesgadas...

Me gusta sentir que soy valiente, que voy por mi camino... Ésta es mi religión.

Pájaro, ¿comprendes? ¿Comprendes eso de la religión?

A mí también me gusta volar... y planear... y perderme...

Tepaeru

Voy por la meseta, a unas cuantas horas de marcha del valle. Me he cruzado con varios grupos de corderos salvajes, pero, a pesar de mis carreras, no he logrado atrapar ninguno. Hace falta suerte, lo estoy viendo. A pesar de que paso mis días andando por la isla, persiguiéndolos por aquí y por allá, no logro coger una pieza más que muy de vez en cuando.

La meseta está caldeada por el sol; hoy no hay aire. Mientras me paseo voy subiendo montañas y enredando en pequeñas gargantas, trepo a los árboles y me asomo a los cortados que bajan hasta la costa.

Lejos, muy lejos, me he topado con mi cordero. Estaba distanciado de su grupo, paciendo solo al lado de un bosquecillo de árboles enanos. He dado un rodeo, suponiendo que si algo de viento soplaba, éste vendría de levante, y escondiéndome entre los arbustos, me he acercado rápido, pero sin precipitarme.

Lo he atrapado fácilmente. Tal vez porque, por el susto que se ha llevado, ha empezado a correr en mi dirección, viniendo poco menos que a cruzarse en mi camino. Me he tirado, sin miramientos ni por él ni por mí, y me he quedado abrazado a su grasiento lomo, así de simplemente, tan sólo dando tres brincos para cortarle el paso.

Estoy solo, solo con mi cordero. A lomos de este animal que está quieto en el suelo. Lo estoy apuntalando con mis rodillas hincadas en la tierra. Y estoy pensando que lo que debo hacer es soltar a este bicho y dejarlo con su vida y con su isla, y seguir yo solo mi paseo como si nada hubiera pasado.

No sé lo que debo hacer. ¿Qué importa más: las provisiones de a bordo, la vida de este animal, o ese algo que se me revuelve y que me insulta y que me duele dentro de mí y me dice: «Julio, no seas animal. No seas como todos»?

Agarrando con una mano las patas delanteras y con la otra las traseras, dando un pequeño impulso con mis rodillas, me lo pongo al hombro y empiezo a andar, a volver a la lejana bahía donde están los dos barcos y donde, junto al río, tengo navajas, sacos y algunos víveres.

(Marquesas. Isla Eiao)

El sol quema la tierra y se alza, curioso, sobre nuestras dos vidas. Voy caminando por descampados resecos, de áridas colinas.

Por mi espalda corre y resbala mi sudor y las fuertes grasas del cordero. Sus lanas se mezclan con mi largo pelo y su cuerpo se acopla a mi cuello. Nuestros olores se mezclan y se sienten con intensidad, sobre todo cuando, entrando en una vaguada, el viento no sopla, y voy andando perdiéndome en pequeños espejismos.

Camino sin parar. Bastante rápido. El cordero, cansado de su posición, deja a veces caer su cabeza, y yo se la levanto agarrando por un momento con una mano sus cuatro patas. A veces encuentro entonces su mirada. Sus ojos me miran de una forma tan extraña que me siento cruel. ¿Me mira pidiéndome que le perdone la vida, o me mira sencillamente con pánico? Yo comprendo que lo tengo todo en mis manos y me asusto de no ser capaz de dejarlo en libertad. Por eso le hablo y contesto a sus balidos con palabras en las que quiere haber cariño.

Para mí, me digo y repito sin cesar: «No tenemos víveres, ¿comprendes? No tenemos más que arroz. Lo tengo que matar.»

Orientándome por algunas crestas lejanas, voy subiendo y bajando, subiendo y bajando, por las ondulaciones rojas de la gran meseta.

Sorprendemos a varios corderos que dormitan al sol y que, al despertar, huyen corriendo. Se oyen entonces unos largos balidos que rompen el silencio. Unos balidos que me llegan a doler.

Cuando llego al final y comienzo a bajar por la rocosa y abrupta pendiente que conduce al arroyo y luego a la playa, deseo tropezar y caerme, para que mi cordero se me vaya de las manos y se pueda escapar. Todas estas horas que ha pasado en mis hombros me han hecho quererlo, hay un lazo de sudores entremezclados y de horas bajo el sol que nos han unido. Me sentiría feliz si lo viera corriendo, marchándose de mí.

Pero nada ocurre y llego a la plataforma donde Pierre y yo hemos constituido nuestra base en tierra...

Sólo hemos encontrado dos árboles del pan. Están en el vallecito del arroyo, encima de la cascada de aguas rojas.

Son muy altos y tienen unos troncos magníficos. Uno de ellos tiene fruta. El otro no la tiene o por lo menos nosotros no hemos conseguido ver ninguna.

Todos los días, al atardecer, remontamos el valle camino de este árbol, para coger nuestra ración diaria.

La primera rama está muy alta, y es imposible llegar hasta ella trepando por el tronco. Es muy liso, y, tan corpulento, que no se le puede abrazar.

Dándole vueltas como si fuera una honda, lanzamos una piedra atada a un largo cabo. Hasta que conseguimos hacerla pasar por la primera horquilla. Luego, sacudiendo la cuerda, hacemos que la piedra llegue de nuevo al suelo.

Por ella trepamos fácilmente.

(Eiao)

«¡Pahi! ¡Pahi», han gritado unos niños desde una piragua.

«¡Pahi! ¡Pahi!», han repetido otros niños corriendo alborotados entre las cabañas del poblado.

«¡Pahi! ¡Pahi», han murmurado ya tranquilos los mayores mirándose a los ojos los unos a los otros.

Y todo el mundo, dejando sus quehaceres, dejando su siesta, dejando su charla, ha bajado hasta la playa, para mirar hacia el otro lado del *lagoon*, detrás del arrecife.

«Pahi», la goleta llega. La esperábamos ya ayer, pero no llegó. No sabemos por qué. Todos los sacos de copra esperan ya listos, oliendo muy fuerte, apoyados contra los cocoteros, junto al pequeño embarcadero.

La goleta remonta la costa, lenta, muy lenta, hasta llegar a la entrada del atolón, y luego, atravesando el mar interior, fondea frente a nosotros.

Viene a recoger los cocos pelados y secos, y el nácar, y tal vez, si hay sitio, sartas de pescados de colores.

El pueblo despierta, se anima. Los hombres empiezan a trabajar y a discutir. Ríen y van y vienen en sus canoas mientras se empieza a cargar.

Los críos están excitados. Miran con admiración a los cuatro forzudos marinos que venían a bordo. Pasarán el día en la goleta, ayudando en la faena, estorbando, corriendo y saltando al agua. Nadie les va a reñir. Ni les va a mirar con ojos reprobadores.

(Tuamotu. Isla Ahe)

Ese hombre pálido que regatea es el chino. Siempre quiere dar menos de lo que las cosas valen, y por eso, con esta gente, su negocio es redondo. Paga con dinero, pero también trae tejidos de colores, y peines, y anzuelos, y sostenes, y linternas, y zapatos, y muchas, muchas cosas más, muy tentadoras.

Es el hombre que hace milagros. Para él, cincuenta kilos pueden muy bien pesar tan sólo cuarenta y cinco.

Aquí gustan las cosas bonitas, los colores, los adornos, más que el dinero o que las cosas prácticas o que las cosas de valor. Por eso el chino amasa su fortuna sin grandes dificultades. Pero yo me pregunto quién tiene razón. ¿Quién engaña a quién?

El día se va. Se ha terminado de cargar. La goleta se va también. Se va cantando al son de guitarras y ukeleles. Se va con la copra y el nácar y sus cuatro forzudos marineros y su chino que va contando su dinero y sus peces de colores. Volverá dentro de dos semanas.

Dos semanas nada más.

Sólo el sol de cada día les importa. Y sus alegrías. Y sus penas. Y sus canciones. Y hacer el amor.

No hay medidas para ellos y el tiempo es terriblemente elástico.

El niño es un animal sagrado que va de familia en familia con inconsciente alegría.

Uravini me dice: «Tarona es mi primo, y Ró, el que fue el otro día a hacer el nácar con nosotros, es su hermano.»

Luego me dirá: «Ró es mi tío.»

Alguien me dice: «Mi tío es el papá de mi hermano, pero el otro papá de mi hermano vive en Papeete.»

Y yo les escucho, sonriente, interesado, pero sin intentar comprender.

No hay nada que comprender, aquí todo es perfecto.

Cada día, antes de lanzarse al agua, el buceador sentado en su embarcación recita una oración. Con respeto. Cubriendo sus espaldas con alguna prenda de sus ropas.

Una vez en el agua, lanza unos gritos agudos, para darse ánimos, para darse suerte, para divertirse. Es como un grito guerrero, que le ayuda a mantener la moral, alejando la tentación de volverse a la canoa y tumbarse al sol.

Cuando pescan, bajo el agua, llaman a los peces como queriéndolos hipnotizar.

El mar lo es todo para ellos. Es el origen... Todo sale de él.

Las ostras del nácar están agarradas a los bordes de las elevaciones de coral que, saliendo desde el fondo del *lagoon*, llegan casi hasta la superficie. Estas elevaciones son amplísimas y forman inmensas mesetas en cuyos laberintos se pierden los peces. Muchas elevaciones surgen de las tinieblas, aisladas, formando hermosos obeliscos que, saliendo del azul de las profundidades, tienen su cumbre a pocos metros por debajo de la superficie del mar.

Hay montañas, agujas, bosques submarinos, gargantas, cuevas. Sus colores son indescriptibles.

Alrededor de algunas ramas o de algunos macizos se agrupan unos pequeñísimos peces azules. Todos se mueven a la vez. Lo hacen de una forma curiosa, como un latido, como una sola vida. Se concentran y se alejan, rítmicamente, formando figuras que nunca se desplazan.

Buceando, mirando los fondos, volando entre estas montañas, paseando ingrávido entre estos bosques multicolores, uno se siente metido en lo fantástico.

Hay peces de todas las formas, de todos los tamaños, de todos los colores, que nadan tranquilamente sin molestarse los unos a los otros.

Los meros pasan cerca. Enormes. Nos miran con sus grandes ojos, como sorprendidos de ver unos personajes tan extraños. Pasan al lado nuestro y luego se meten en cualquier agujero. Pero sin temor.

Vamos dos o tres amigos. Buceamos a pulmón. Pasamos horas y horas en el agua.

El nácar es abundante, pero, como somos muchos, cada vez tenemos que alejarnos más y buscarlo más lejos.

El agua no está fría. Se aguanta bien. El cuerpo se adapta rápido. Uno se siente como un pez en el agua a las pocas semanas.

Hay tiburones negros de cabeza redonda, y tiburones grises de cuerpo fino y alargado y aleta casi blanca. Sus figuras son hermosas cuando, a medias aguas, flotando en el azul tenue de las profundidades, son iluminados por los rayos del sol.

No atacan, ni son peligrosos.

Cuando uno se nos acerca demasiado, lo espantamos con gestos amenazadores, y si estamos nadando por la superficie, golpeamos el agua con las manos.

En más de una ocasión, subiendo del fondo, al límite de mi soplo, estando todavía a más de diez metros de profundidad, me he encontrado con alguno de ellos que nadaba entre la superficie y yo.

Los tiburones del *lagoon*, pocas veces miden más de dos metros.

Al principio, mi amigo Mavini se reía de mí, pues siempre nadaba pegado a sus aletas, vigilando temeroso en todas direcciones. Ahora ya me he acostumbrado. Rara vez tengo miedo. (Y, aunque no recojo tanto nácar como él, voy haciendo progresos.)

Un par de horas después de que el sol ha culminado, pescamos tres o cuatro peces para la comida del día. Los elegimos entre los que más nos gustan.

Luego, recogiéndolo todo, comenzamos a navegar, de vuelta a casa. Más de una vez, mientras llevamos la caña del timón apuntando hacia el poblado con el sol calentándonos las espaldas, vamos comiendo con gran placer un pedazo de pescado crudo.

Tengo cinco furúnculos, uno en el dedo, otro en el antebrazo, dos en la parte alta del muslo y uno en el tobillo. Son picaduras de mosquito infectadas por el coral. Mi dedo y mi antebrazo están hinchados monstruosamente y presentan formas extrañas. Tengo que vigilar todos mis movimientos y todas mis posiciones si quiero evitar punzantes dolores. Los días que van a venir no van a ser divertidos.

He comido arroz frío con restos de comida que mis amigos de Ahe me dieron ayer, antes de salir. Tengo pocas ganas de cocinar y llevo sueño a causa de la noche que he pasado sin dormir. Mis dolores no me permiten estar cómodo, pues las posturas que tengo que elegir para estar sentado o tumbado son demasiado forzadas.

He pasado el día sentado con una pierna en alto, mirando como un idiota mis cortinas. Hace calor y estoy embrutecido.

Tengo bastante fiebre y, sobre todo, la pierna deformada. El furúnculo del dedo ha reventado y en su lugar ha quedado un ancho y profundo agujero que llega hasta el hueso. Por lo menos podré tener ahora, con ciertas precauciones, el uso de mis dos manos, cosa que vale mucho en los pequeños manejos del barco.

No puedo apoyar un pie y me muevo a bordo a tres patas, es decir, mis manos, una con reparos, y mi pie izquierdo.

Me tumbo boca abajo y así, como única postura relativamente cómoda, pasan muchas horas. Las otras las paso al timón, pues el barco no quiere seguir el rumbo que hace falta.

De vez en cuando llueve fuerte y entonces me desnudo y me siento fuera, para que el agua dulce me moje y me lave. Con la fiebre que tengo, este agua fresca es como un bálsamo.

Klaus, Bernard, Babette, Yves, la pequeña Élodie, Julio, Pepe, Franck, Anna, Pierre, Christian, France y algunos más, nos reunimos al anochecer a comer pescado crudo. Nos tumbamos en una mancha de hierba que queda cerca de los barcos.

Unas veces ponemos los trozos de pescado con zumo de limón y otras con leche de coco que nosotros mismos preparamos rayando su pulpa blanca y exprimiéndola después con un poco de agua.

Estas veladas las repetimos con frecuencia. Todos somos dueños de nuestro tiempo y las podemos prolongar.

Creo que somos conscientes de tener una riqueza. La riqueza de aquellos que necesitan tan poco, que llegan a ser libres.

Hablamos hasta tarde. La vida no nos preocupa demasiado.

Somos como un islote de hombres que sonríen a la vida.

(Papeete)

Gente, y sobre todo gente joven, viene a pasar el fin del día en los alrededores del puerto. Es la hora que precede al crepúsculo. Es la hora en la que las formas de los árboles y las siluetas de los barcos retienen su respiro para no quebrar el equilibrio del atardecer.

Camisas de colores chillones, faldas amplias y vestidos estampados con flores. Pieles bronceadas, llenas, cobrizas y sanas. Cabellos negros, largos, sueltos y brillantes de aceite de *monoi*. Cuerpos fuertes en los que nada hay de superfluo, si no es tal vez una corpulencia ligeramente exagerada que no llega a romper de ningún modo su armonía. Y sonrisas, ramilletes de sonrisas, van llegando alegremente al muelle donde estoy atracado.

En el puerto estamos dos pequeños veleros, el *Haiter*, con pabellón neozelandés, a cuyo bordo viajan tres jóvenes vagabundos americanos, y *Mistral*, donde navego yo, navegante solitario.

Estamos amarrados prácticamente juntos y a estas alturas nuestras relaciones van de cocina a cocina. Comemos y cenamos muchas veces juntos, y bebemos y pescamos en banda. Pasamos los días haciendo más bien muy poca cosa.

Este mundillo de colores y estas tropillas de risas vienen a visitarnos, a pasar un rato con nosotros.

Tepaeru, Tiare, Eiata, Marta, Philippe, Tekuma, van llegando, trayendo una luz y una alegría infantiles que son terriblemente contagiosas, incluso para nosotros, occidentales serios.

Es imposible no sentirse atraído por ellos. Están tan lejos de las tantas y tantas cosas complicadas que, generación tras generación, han ido formando nuestra herencia de hombres blancos, que uno siente vergüenza, y envidia, y deseos de parecerse a ellos.

Traen guitarrras y ukeleles, y ganas de cantar y de reír, y se sientan en el muelle, con las piernas colgando, con sus presencias insistentes y su mirar brillante y lleno de picardía.

—¡*Hello*, Paul! ¡*Hello*, Julio!

—*¡Hello! ¡Hello!*

A estas chicas les gustan los chicos. Es normal.

Y yo, que soy así, y que no lo puedo evitar, me siento feliz.

(Islas Coock)

Todo el mundo ha subido a bordo. Somos quince, los he contado. Mi barco ha hundido toda su panza en el agua, y ofrece una estampa diferente de la suya habitual. Parece que se va a hundir. Parece una botella cubierta de percebes que flota en el mar.

Casi todas son mozas. Unas mozas fuertes a las que, al parecer, mi persona divierte. Pasados bien pronto los primeros complejos y timideces, se instalan a bordo, mirándolo todo con un mirar encantado, penetrante, ingenuo y malicioso.

Momentos de silencio. Hacen falta esos minutos para que el hielo se rompa. Pero pronto, entre codazos y empujones, y risas escondidas, y expresiones cortas y casi nerviosas, todo el mundo se siente mejor. Es imposible entrar en la cabina, pero da gusto asomar la mirada al interior. Todos los vacíos y todas las soledades se han llenado de humanidad, de brazos redondos, de manos cruzadas, de piernas, de vestidos, de ojos, y de pechos que revientan blusas. Huele a *monoi,* a aceite de coco aromatizado con flores silvestres.

Risas y más risas, cariño, instintos, y ya está; la vida está aquí.

Tamuré, tamuré, muré, muré.
Muré, ta.
Eguarí, eguará.

Han bastado tres acordes de un ukelele para que todo el mundo comience a cantar. Y lo hacen bien, como siempre lo hacen estos polinesios. Es como un suave viento que comenzara a soplar en una tarde quieta y silenciosa. Las canciones son unidas y sinuosas, pero sin estridencias. Todo se llena de notas melodiosas. Mi barco rebosa canciones.

Las voces se unen, acompañadas del reiterado, seco y cantarín acorde de este pequeño instrumento. Son como un torbellino de tiempo que se asoma a la felicidad.

Tarona iti a Tarona.
Tarona iti a Matautelle.

Felices estas islas en las que Dios permite a los hombres ser dichosos por medio de la canción.

Son las diez de la noche. La línea de flotación ha subido de dos a tres centímetros. Sólo quedamos a bordo cinco mozas... y yo. Se ha establecido una comunicación entre nosotros pese a los problemas del idioma. Estamos a gusto. Hay algo de limpio y de sano en sus miradas, en sus insinuaciones. Algo tan natural que casi me deja perplejo. Pienso qué sencilla sería la vida si todos los pueblos fueran así.

Hemos comido unas naranjas, y en la cabina hay un aroma ácido, amargo, dulzón, que se mezcla con el olor del *monoi,* olor que hoy se me antoja embriagador y casi afrodisíaco.

El candil chisporrotea, pestañeando alegremente la lengua de gato de su pequeña llama. Fuera, la noche comienza la ronda de sus horas.

Tepaeru, Tiare, Tekuma, Eiata, Marta...

Tepaeru se ha puesto a dibujar. Dibuja flores pequeñas, tiares de lisos pétalos. Dibuja ibiscus de atrevidos pistilos. Dibuja caras de niños, de grandes ojos y largas pestañas. Tepaeru sabe dibujar y quiere demostrármelo pidiéndome constantemente bien sea un lápiz de otro color, bien sea una goma de borrar, o más papel. Tepaeru me gusta. Su ingenuidad empieza a no dejarme indiferente y comienzo a pensar que deseo acariciarla, oler sus cabellos y jugar con ella.

Seguramente esto es lo que ella se ha propuesto.

Tiare lee, lee aplicada, quieta, en silencio, llena de atención, como queriendo asimilar cada detalle del libro que ha elegido. Está leyendo poesías de Machado, en castellano, lengua de la que no conoce una maldita palabra. Lleva casi media hora leyendo, bebiendo con fervor los reflejos de las páginas del libro.

Hace un rato, para demostrarles que el castellano se lee y se pronuncia como el maorí y no como el retorcido inglés, les he leído unos párrafos de una página del pequeño periódico de Rarotonga. Teniendo buen cuidado de aspirar las haches y de cortar las sílabas con la entonación cantarina a la que mi oído empieza ya a hacerse, la cosa queda muy bien. Han quedado maravilladas, sobre todo porque ningún inglés es capaz de pronunciar el maorí tal como se debe, y ellas pensaban que éste sería un problema para cualquier otro «popa». Han quedado casi convencidas de que yo entiendo el polinesio. Aunque yo me empeñara en explicarles que no era así.

Han comenzado a leer el castellano y en esta prueba han salido airosas. Tiare parece muy entusiasmada con un poema de Alvar González.

Eiata ha encontrado un diccionario de portugués-inglés. Yo, para no meterme en explicaciones, le he dicho que sí, que era un diccionario de castellano.

Después de un buen rato de trabajo silencioso me ha presentado una hoja en la que estaba escrita una declaración de amor. Me parece que es una obra de arte, no desde luego por su portugués, sino por la claridad y el poco pudor con los que se expresa para decir lo que en su fondo tiene ganas de decir.

Marta, sentada junto a mí, mira unas revistas de moda francesas, haciendo comentarios que me divierten. Me hace preguntas sobre mí.

Me explica las cosas que yo debo hacer en esta isla. Bromea de vez en cuando. Se ríe. Se ríe de mí.

Tekuma, sola, toca la guitarra, la acuerda, la desacuerda, tararea, canta, y mira la llama del candil con ojos soñadores.

A bordo hace un si es no es imperceptible de calor.

El candil y la vela dan, al parecer, más luz de la que jamás dieron. Me digo que mi cabina es grande, que mi mundo es delicioso.

Pienso en Melville, aquel *hippy* de hace casi dos siglos que hizo el vagabundo en Polinesia, viviendo la vida de las islas tal como los indígenas. Sin jamás hacer uso de los atributos que el hecho de ser blanco le conferían.

He leído no hace mucho uno de sus libros, *Omoo,* y pienso que muchas cosas, muchas islas, muchas gentes en Polinesia, no han cambiado demasiado, puesto que yo las encuentro tal como él las vivió y las contó.

Son las doce, hora de cambiar una mirada cómplice con Tepaeru, la muchacha fina, la que sabe dibujar, la que dibuja tiares e ibiscus y rostros de niños de grandes ojos negros.

Es hora de decir *iaorana* a todas las demás.

—*Iaorana...*

Así va mi viaje, de isla en isla, de archipiélago en archipiélago, de raza en raza, de pueblo en pueblo, de idioma en idioma, de amor en amor, de soledad en soledad.

Así, así de simplemente, se pasan los meses, se pasan los años.

Se llama Meli

Norfolk, isla de bergantines fantasmas y de amotinados célebres, quedó a mi oeste, dibujándose en el horizonte incoloro de un atardecer. Un poco más hacia el Sur pude ver otra isla, más pequeña, como una hermana menor, separada por un corto brazo de mar.

No tuve grandes tentaciones de acercarme hasta ellas, pues sabía que ninguna de las dos tenía un buen fondeadero, y no estando los vientos bien establecidos, no quería ni pensar en buscar un abrigo a sotavento. Por eso seguí navegando hacia el Sudeste.

Hoy el viento ha cambiado y se ha puesto a soplar del Sudoeste, precedido de un cielo que en muy pocas horas ha quedado cubierto, y ahora está turbio, oscuro y desmoralizante. La mar, que ayer y anteayer era larga y tranquila, esta mañana, bruscamente, se ha agitado y ahora está nerviosa, como llena de malos presagios.

El Sudoeste ha enfriado el ambiente y el contraste con días pasados es desagradable. Se me acabaron los días en que me solía tumbar en cubierta a dormitar bajo el sol.

Tendré que cambiar mis costumbres de hombre feliz que vive desnudo, pues ya no estoy en el verano sin fin de las islas, sino metido en una realidad de fríos y humedades.

(En ruta hacia Nueva Zelanda)

Como estoy remontando la mar, las olas pasan constantemente por el puente, barriéndolo todo, y es absolutamente imposible salir y no mojarse.

Al mediodía, mientras cambiaba un foque, la proa se ha hundido por debajo de una ola y he quedado cubierto con el agua llegándome hasta la cintura. Menos mal que estaba sentado y bien empotrado en el balcón, porque de otro modo me hubiera ido a la mar. Mientras me arrastraba hasta mi cabina, he sentido como el viento me empujaba esta helada humedad hasta el tuétano de mis huesos.

Como no tengo ropa de agua, procuro salir lo menos posible. No me aventuro afuera más que cuando me es absolutamente necesario. Un cambio de velas es una ceremonia desagradable y muy dura, pues la cubierta es barrida por las olas. Me tengo que vestir con ropas mojadas, una camiseta roja de mangas largas que me destiñe sobre el cuerpo, un *pullover* y un ridículo chaleco salvavidas. Y con este atuendo tengo al menos la ilusión de cortar el frío del viento.

Cada vez que entro me desnudo completamente y estrujo mis ropas, retorciéndolas para que la próxima vez que me las tenga que poner no me parezcan tan frías. Luego me meto en el saco de dormir con la ilusión de recuperar algo de mi calor... si antes no tengo que volver a salir.

Me siento pequeño, como un gato asustado, mojado, aterido. La cabina está oscura, empapada, lúgubre, pues todo tiene que estar cerrado.

Tumbado en mi litera, escucho el estruendo del mar. Doy vueltas en mi cabeza a la idea de que dentro de tres o cuatro días podré estar ya fondeado en alguna buena bahía bien protegida por un circo de colinas, en la que mi barco ni se moverá, tan quietas estarán las aguas.

Los albatros han aparecido, con sus planeos de ave conquistadora e indiferente. Varios de ellos vuelan rápidos abriendo sus caminos por el viento. Resbalan entre los borrones grises oscuros de las nubes y desaparecen a veces durante tiempo y tiempo, tragados por los senos de las olas.

Veo una especie de petreles grandes, fuertes, y al parecer algo hinchados, de color negro o pinto ceniza que vuelan muy excitados, llevados por las rachas del viento. Son los petreles de las tormentas.

Para distraerme de los ruidos de la mar escucho la radio. Voy grabando en mi ser las voces de ese país antes de llegar a él. Las emisiones son alegres y me traen un calor humano que empiezo a necesitar. Qué verdad es que no son los idiomas las barreras que separan a los hombres...

Empiezo a comprender el significado de algunos programas y ya tarareo inconscientemente sintonías de algunas emisoras.

Hay varios programas en los que los oyentes telefonean. Hablan con alegría, con viveza y sin grandes complejos. Todo transcurre como en medio de una gran familia.

Metido en mi saco, mientras afuera la mar revienta y el viento silba en la jarcia, presto oído a sus hablares y aunque no entiendo casi nada, sonrío a veces. Entonces me siento mejor, empiezo a amar a ese pueblo que se ríe y que bromea y que no parece tener preocupaciones. Mi mente construye imágenes y se adelanta al tiempo, permitiéndome saborear de antemano muchas cosas.

La radio me hace compañía, pero... ¿hago bien al dejarme ganar por sus voces?

He visto la luz del faro del cabo Norte. Estoy a algo más de veinte millas de la costa.

Las estrellas se han cubierto y llueve, el viento sopla fortísimo. Cuando me quedo metido en una ola, el barco recibe un golpe como si fuera una bofetada. Navego hacia tierra a una velocidad que pasa seguramente de los siete nudos. Voy casi sin velas, llevo sólo un pequeño tormentín de tres metros cuadrados. Creo que es lo máximo que en estos momentos puedo llevar.

No veo la mar, pues la noche está muy oscura, pero oigo el ruido de las olas, aquí y allá entre las tinieblas, cuando rompen con estrépito. Nunca hasta ahora las había oído reventar de forma parecida. Tengo miedo que una de ellas me haga volcar. Basta que me rompa encima. O basta que, en uno de estos planeos, mi barco se quede de través.

Amanecer triste y furioso. Amanecer gris plomizo y negro, cerca de una tierra que, si bien es verdad que hasta hoy he deseado, ahora, en estos momentos, quisiera tener lejos. En sus costas, en sus arrecifes, hay demasiadas trampas de las que, si caigo, no podré salir.

La mar es enorme y con la luz difusa de estas horas toma forma de montañas en movimiento. Está negra y vertical. Cuando la miro me entran escalofríos.

Las olas se me presentan en un cierto orden, las unas siguiendo a las otras, sin cruzarse entre sí, con sus nueve o diez metros de altura muchas de ellas, y algunas posiblemente más. Rompen como en las playas.

A veces a la luz pálida del alba veo una rompiente de cien o doscientos metros de extensión, reventando toda a un tiempo a lo largo del alcance de mi vista.

Tengo miedo.

He visto explotar dos o tres olas que ellas solas hubieran hundido mi barco. ¡No! No lo hubieran simplemente volteado sin más, como me ocurrió con la depresión «Julie» allá en los trópicos. No, estoy seguro que nada hubiese quedado a flote después de aguantar encima tantas y tantas toneladas de agua, y después de rodar y rodar entre tantos torbellinos.

Temo un aterrizaje con tiempo gris y visibilidad mala. Pero tengo confianza, ya que la suerte nunca me ha faltado. Sueño con ese lugar tranquilo donde nada se mueve, donde huele a verde y donde las nubes juegan, teatrales, con las crestas de las montañas y con las copas de los árboles.

Ninguna ola de verdad ha roto encima de nosotros. Parece un milagro. Las unas se han desmoronado un poco antes de llegar hasta nosotros y las otras han roto después. Han sido estas últimas las que más miedo me han hecho pasar. *Mistral* empezaba a planear alto, altísimo, como al borde de un vacío, con la popa levantada por la cresta y la proa apuntando hacia un profundo seno. Pero cada vez, justo un instante antes de reventar, el barco quedaba atrasado y la ola se desmoronaba con estruendo, llevándose sus toneladas de espumas revueltas.

La mar me hace una demostración de su poder y de su fuerza, de su furia. Pero una y otra vez me va perdonando la vida. ¿Qué es lo que me va a pedir a cambio?

Aunque con muchas dudas y temores, observo que mi ruta es buena y me digo que podré seguir navegando a lo largo de la costa hasta identificar algún accidente de su orografía que me permita situarme y encontrar un lugar bien abrigado del temporal. Sé que en esta parte norte hay muy buenos fondeaderos.

Pero estoy inquieto; con esta lluvia y esta mala visibilidad sé que no me atreveré a acercarme demasiado.

¿Por qué ha de llegarme este tiempo de perros justo cuando llego a una costa que no conozco?

Entre las nieblas que corren empujadas por las ráfagas del viento, me aparece la sombra de una punta que no llego a identificar. He visto unas rocas algo separadas y solitarias en cuyos alrededores la mar rompía y también he creído ver algo que podía ser el hueco de un valle pero que tal vez no era nada más que una claridad entre las nubes.

Julio, eres un mal marino, no sabes dónde estás.

Me digo que si me acerco mucho, tendré más posibilidades de acertar que de equivocarme, pero creo que ésta no es una razón para jugar, pues el precio de un error pudiera ser demasiado caro.

Las raíces que me atan a la tierra parecen despertar. ¡Qué cerca estoy de esa tierra que tanto necesito y qué difícil me está resultando llegar hasta ella!

A veces desearía que alguien me dijera qué es lo que tengo que hacer. Que me diera órdenes. Que me obligara a tomar ciertas decisiones. Que me librara de pensar... estoy tan cansado...

¿Hago bien? ¿Hago mal? No sé, no sé... no sé nada.

Al final de la tarde, entre la niebla que se abre alguna vez, veo un par de veces la costa, quieta, allá por estribor. La costa quieta. La tierra quieta. Los bosques.

Pero la noche me llega, borrándome ilusiones y esperanzas. Fría y sin alegrías, con olas fantasmas y costas escondidas.

Veo faros, pero con tanta mar no los puedo identificar. Unas veces cuento un destello; otras, tres; otras, dos; pero jamás los que me hacen falta para saber dónde estoy.

Un par de veces me adormezco, recostado en mi litera, a pesar de mis fríos.

Al amanecer me quedo dormido de verdad. Un buen rato. Tal vez dos horas. Y cuando me despierto, la luz entra ya en la cabina, aunque sin grandes luminosidades. Pero es luz al fin y al cabo, día y signo de que el mundo sigue y de que vivo y de que hoy, tal vez...

Con ojos doloridos por el insomnio, cuerpo cansado, apático, sin vitalidad ni energía, y un cierto malestar en mis entrañas que me recuerda que ayer no comí, me siento en mi litera y procuro poner en orden mis ideas.

No sé si tengo calor o si estoy helado. Mi cuerpo está muy raro, después de todos estos malos tratos que le estoy dando. Me escuece, me duele, tiene temblores y me hace preguntas que no puedo contestar.

El infiernillo no funciona. No es éste el momento de intentar repararlo. No tomaré nada caliente esta mañana tampoco. Chuparé un par de galletas secas y las empujaré a tragos de agua fría.

Vigilo y vigilo entre la niebla. Esas islas... ¿cómo se llaman? Ports Nits, ¿no?

Trato de penetrar en la niebla para descubrir tierra, rocas, ruido... algo.

La tarde llega. Y no estoy en tierra... Como ayer.

Mistral remonta, remonta, remonta, dando saltos desesperados, escorado, con el balcón hundido en el agua, chocando con la mar cortada. Estamos a menos de dos millas, cuando una costura de la vela mayor se abre y la vela empieza a flamear entre los sables.

Mierda. Mierda. Mierda.

La bajo y, febrilmente, la empiezo a recoser. A grandes puntadas, justo para que aguante un par de horas, ese par de horas que, echando por lo alto, me separan de la tierra.

Sentado en el puente, mojado, sacudido por la mar, algo desesperado, coso, rompo agujas, y a veces, levantando la mirada, miro hacia las montañas.

—No voy a llegar hoy tampoco.

No voy a llegar. No voy a llegar...

Han pasado días. Los he pasado intentando llegar...
pero no he llegado.
No he llegado porque...
no era posible llegar.
Porque tenía miedo.
Porque estaba desmoralizado.
Porque tenía el frío metido en el cuerpo.
Porque mi barco no podía ya remontar aquella mar.
Porque un hombre tiene sus límites. Y yo llegué a los míos.

Los primeros días, luché. Sufriendo mucho.
Los demás, sufrí. Simplemente. Profundamente.

Por todo esto, y por qué se yo cuántas cosas más, sigo en la mar. Fuera, el viento sopla del Oeste; ya no es fuerte, pero como no lo estoy remontando, la cosa me es igual. He puesto rumbo hacia el Norte, hacia los trópicos.

Soy un vencido. No he conseguido llegar a Nueva Zelanda, a pesar de que he estado a un tiro de piedra de sus costas. Y me vuelvo allá donde la vida es más fácil y el clima más humano.

Nueva Zelanda no existe... no existe... ¿quién ha oído hablar de Nueva Zelanda?

Cuando lo malo se encapricha con uno, no hay suerte, no hay voluntad, no hay buena estrella que pueda venirle en ayuda. Y sin embargo, yo creo haber nacido bajo una buena estrella. La vida pocas veces me ha mirado con mezquindades.

Pasé días dando bordos contra un viento fuerte que jamás decaía. Estos días pueden figurar entre aquellos en los que me he sentido más desgraciado y miserable de mi vida.

Hacía frío, todo dentro estaba mojado, hasta mis últimas ropas. El infiernillo no quiso funcionar durante días y días. El barco se movía como un tormento. Y para colmo, ni un solo momento apareció el sol.

Al tercero o cuarto día, muy cansado y sin moral, empecé a ceder, al tiempo que comenzaba a echarme en cara muchas cosas de las que me creía culpable.

¿Por qué no me había acercado más el primer día? ¿Por qué no había hecho más esfuerzos durante las noches para no perder terreno? ¿Por qué, al final, había arriado la mayor, sólo porque estaba asustado, porque mi cruceta había tocado en dos ocasiones las crestas de las olas?

La capacidad de sentirse miserable en un hombre es muy grande, y yo nunca hasta entonces la había sentido tan intensamente. A esta miseria se unía muchas veces una extraña y vieja tristeza.

Nadie sabía que yo existía. Las voces de la radio que, días antes, me habían ilusionado y hecho tanta compañía, ahora me hacían sufrir y terminé por no escucharla más. Yo estaba en otro mundo, nada tenía que ver con el calor de los hombres. Estos días atroces que yo estaba pasando no servían para nada. Para nadie. Yo podía lo mismo no existir.

Ahora hace cuarenta y un días que estoy en la mar... cuarenta y un días... cuarenta y un días se dice fácil. Mi viaje ha pegado un enorme salto atrás. Mis heridas empiezan a cicatrizar y mis miserias a olvidarse. Digamos que me siento como un convaleciente. Físicamente estoy cansado, sin ganas de hacer nada, con la sonrisa vacía, sin ilusiones.

Este amanecer, en el horizonte ha aparecido la silueta montañosa de la isla Totoya, y estoy navegando hacia ella, bastante rápido. Estoy contento de haberla encontrado, puesto que los últimos días ha hecho gris y ha llovido, y no he podido calcular mi posición como se debe. Durante tres días he andado casi perdido, en una zona en la que sabía que había islas y arrecifes. En algún momento han pasado por mi mente ideas de naufragio... tal vez porque estaba cansado.

La vida sigue. La vida empieza. Hoy es el primer día del resto de mi vida.

Estoy fondeado en una bahía, toda risueña, con una playa de arenas doradas y luminosas, que está bañada por unas aguas absolutamente quietas, de azul transparente.

Las nubes cabalgan rápidas por encima de las montañas, pero las aguas están calmas, y *Mistral,* con sus velas recogidas, con todas sus cosas ya en orden, descansa quieto, inmóvil.

El agua es tan transparente que puedo seguir con la vista el camino de mi cabo de fondeo hasta la cadena y hasta el ancla. El ancla la veo posada simplemente en el fondo blanco.

He puesto mantas y ropas afuera para que se sequen con el sol y con este airecillo tan tibio. Mientras tanto yo me preparo algo de comer. Voy a hacerme algo serio.

Saboreo de antemano la perspectiva de unas horas de reposo sin sobresaltos, en mi barco quieto. Esta tarde iré a tierra, a tumbarme en la arena, a pasear, a caminar tranquilamente entre los árboles hasta que encuentre algún poblado, al otro lado del lago interior.

Dos mujeres jóvenes, mezcla de polinesio y melanesio, se acercan en una piragua. Van remando sonrientes.

Al pasar al lado de *Mistral,* con cierta indecisión, dejan de remar y parecen querer acercarse hacia mí, pero tal vez por timidez no se atreven a hacer nada y se dejan llevar por el impulso de la canoa. Me saludan riendo, mostrándome unos dientes blancos, muy blancos, y, señalándome el mar, me dan a entender que van a pescar y que luego volverán.

Las veo alejarse en medio de una animada conversación que rompe felizmente esa soledad que ha durado para mí tantas y tantas semanas.

(Fidji)

Se llama Meli. Es negro. Es fuerte. Tiene una enorme sonrisa de satisfacción. Ha subido a bordo poco después de haber fondeado. Y me ha traído dos ignames.

—*¿You sabe kay kay gnam?*

—*Mí sabe.*

Entonces se ha reído aparatosamente, repitiendo: «*¡You sabe! ¡You sabe!*»

Le he regalado una larga flecha de arpón y está muy contento. Me doy cuenta. Veo que quiere ser mi amigo. Veo que quiere complacerme. Que quiere darme algo más... algo que me guste de verdad.

Por eso me mira así, con sus ojos picarescos. Algo da vueltas en su cabeza, y me lo suelta, espiando divertido mi mirada.

—*Six o'clock, mi bring for you nice black girl. ¿You like?*

—*¡Ah! ¡Mi like!*

—*Six o'clock she come to the beach.*

Cuando Meli se va, yo me tumbo a echar la siesta.

¿Qué otra cosa puedo hacer hasta las *six o'clock*?

En la hamaca llora un niño

Es agradable sentir cómo te quieren cuando has pasado mucho tiempo por ahí, dando una vuelta solo.

—Vamos al campo, ¿vienes?

Y mi cabeza sale de la cabina y contesta que sí, que voy corriendo, que sólo me voy a poner una camisa.

Y me llevan con ellos. A su casa. A tomar una cerveza. A visitar el país. A una fiesta. A un museo. A algún lugar tranquilo, perdido en el campo.

Me gusta que me inviten a comer cosas buenas y diferentes de las que yo me preparo a bordo. Me gusta que me dejen ir a ducharme a sus casas. Me gusta estar con ellos, pasando el tiempo sentado en esas habitaciones tan cálidas en las que flotan pedazos de sus almas. Me gusta ir por ahí, andando, charlando, sintiendo la amistad.

Me adoptan. Porque soy joven, y porque estoy solo y vengo de muy lejos. Y todo el cariño que tienen para ellos, lo tienen para mí.

El tiempo que paso en este puerto nos entendemos bien y nos complementamos. Vengo de las islas y soy como una bocanada de aire de alta mar.

Todas las mañanas, al amanecer, nos vamos al puerto Wilfried y yo. Casi siempre vamos juntos, andando, pero a veces él se va en esa vieja bicicleta que le han prestado, y entonces yo me voy solo, corriendo, y tengo que salir un rato antes para llegar a la hora en la que se sortea el trabajo. Llevamos una racha de buena suerte, pues hay barcos que se pasan cinco, seis y hasta siete días descargando. Y cuando se van siempre somos elegidos otra vez para nuevos trabajos.

Cada miércoles, como niños, nos ponemos en la cola para que nos paguen lo que hemos hecho durante la última semana.

He descargado carbón, y sal, y *whisky*, y tubos de acero, y arroz, y máquinas, y sacos con bolas de plástico, y cajas misteriosas. Misteriosas porque no sé lo que contienen.

Y he cargado lana, y corderos congelados, y latas de *corned beef*, y mantequilla, y quesos del país.

Trabajo con *dockers* profesionales, y con *hippies*, y con vagabundos.

Al mediodía comemos en la cantina. Comemos bien. Bien y abundante.

A las seis de la tarde, después de terminado mi trabajo, me voy a la ciudad y hago algunas compras para la cena de la noche. Luego me vuelvo andando hacia mi barco. Tengo que hacer un buen trecho, pero lo hago a gusto, pues es verano.

Voy silbando. Mirando hacia el Norte, dirección por la que algún día me volveré a marchar.

Mis ropas huelen fuerte a carnero congelado.

(Nueva Zelanda, unos meses después)

Doblo la punta de la isla de noche ya. Voy navegando a vela, oyendo muy cerca el romper del mar en el arrecife. Me parece adivinar una bahía y me acerco, escrutando las tinieblas. Fondeo una vez, pero hay demasiada profundidad y vuelvo a levantar el ancla. Fondeo una segunda vez, algo más cerca de tierra, y me quedo satisfecho. Hay media luna y se adivina la playa. En la playa arde una hoguera.

Mientras recojo las velas se acerca una piragua. En ella viene un negro. Negro como la noche.

Charlamos. Es muy tímido. Le ofrezco unos anzuelos. Se va.

Yo ceno solo.

Es muy de noche y el cielo está muy limpio.

(Nuevas Hébridas)

«*Good night, masta!*», me ha dicho un susurro salido de las tinieblas.

«*Good night!*», he contestado sobresaltado, mirando en la dirección de lo que creo es la sombra de un indígena. Y me han ayudado a subir mi chinchorro hasta los árboles, en donde lo hemos dejado apoyado contra un tronco.

Hemos andado hacia el lugar en donde ardían ya varios fuegos, a la derecha de la playa, entre unos grandes arbustos de burao, justo en sentido contrario al del poblado, y hemos llegado a un claro del bosque aislado de la noche por el corto radio de luz de las hogueras.

He tardado un poco en acostumbrar mis ojos a los reflejos del fuego, pero luego, sorprendido, he empezado a descubrir por aquí y por allá grupos de personas. Es increíble el mimetismo de estas gentes.

Así, de primeras, y como huésped de honor que soy, se me antoja que no se me hace demasiado caso, pues nadie me habla ni nadie se acerca hacia mí. Debe ser a causa de la timidez. O de la oscuridad. O tal vez porque para tomar el *kawa* no es necesario rodearse de inútiles conversaciones. No debo olvidar que estoy dentro de una sociedad primitiva.

Observo que no se habla casi y si se habla es en forma de susurros imperceptibles. Las palabras no son más que siseos que se les quedan pegadas en los labios. Veo en las miradas como un fondo de miedo, como un temor de molestar a algún espíritu nocturno.

El silencio es áspero, casi palpable. Permite sentir el respiro de la selva cercana.

La oscuridad y el silencio se van mezclando de tal forma que llegan a formar una sola cosa. Una bóveda de extraña opresión que se acopla sobre los límites de la claridad del fuego. Es una sensación física... Yo la siento.

Estoy sentado en una piedra, como todos, dando cara a una de las hogueras. Estoy a gusto, pero me da vueltas por dentro una inquietud. ¿Quién me dice que estos hombres prehistóricos, cuyos abuelos eran caníbales, no van a mirar hacia mí con intenciones gastronómicas?

Sentados en el suelo con las piernas abiertas y flexionadas, dos ancianos enjuagan las raíces del *kawa*. Lo hacen en una bandeja de madera toscamente labrada. Vierten agua a pequeñas cantidades, como midiéndola, con cuidado de no desparramarla, y las revuelven con las manos con gestos precisos, complacidos, adormilados. Se toman el tiempo de hacerlo. Luego las machacan en un cuenco, con unos pedazos de coral.

Uno de los viejos que tiene blanca la pelusa de su cabeza y una barba enmarañada de color ceniza, se concentra de tal forma que me llama la atención, como si de entre sus manos estuviera haciendo nacer una obra de arte.

En un piquete en forma de horca, dos jóvenes exprimen la masa obtenida. Para ello la envuelven en un tejido vegetal al que dan la forma de sus manos recogidas y sobre el que vierten unas chorretadas de agua que guardan en unos tubos de bambú. Entonces el líquido sale espeso, como un *sirup*, aromático y pesado, formando un hilo grueso, ligeramente teñido de malva.

Me pasan un coco repleto de líquido hasta los bordes y bebo. Es empalagoso, amargo, espeso. Sé que me están observando y eso me ayuda a terminar.

Los labios, la garganta, se me quedan ligeramente adormilados, como anestesiados, y siento una sensación de ligereza. Pero poca cosa más. Desde luego voy a repetir aunque mi paladar no esté de acuerdo. Al *kawa* se le atribuyen efectos embriagadores y afrodisíacos.

Los demás beben sin atropellos. Nunca hay dos personas esperando turno. Todos beberán cuanto quieran o cuanto puedan.

Algunos toman tres, como yo. Somos los sobrios. Los efectos así son momentáneos. Otros beben cinco, seis o siete, y a éstos los veo bien pronto idos, ebrios, con los ojos perdidos y los labios marcados por un gesto incoherente.

Cuando les hago comprender que he terminado, me ofrecen un pedazo de gallina y varios trozos de ignames y de taros cocidos en la hoguera. La gallina está dura, muy dura y fibrosa, pero la voy comiendo, como ellos, sin prisas, arrancando con paciencia la carne con mis dientes.

El ignam está delicioso, tiene una consistencia agradable y un gusto ligero, bueno de verdad.

A veces, del fuego se desprende un pedazo de tronco consumido y su crepitar y sus chispas introducen en el ambiente una nota cósmica.

A veces se oye el grito de algún pájaro. Grito que sale de lejos, que viene de fuera, de la oscuridad. Y estas pequeñas cosas, este grito lúgubre de pájaro asustado, ese crujir de selva nocturna, contribuye a dar un tembloroso misterio a estos momentos y van marcando el tiempo que se va. Tal vez el día no ande ya lejos.

Varios indígenas, después de haber tomado qué sé yo cuántos *kawas*, se mueven de una forma extraña, agitados extraordinariamente. Unos se sientan mirando a las tinieblas con ojos extraviados, otros se mueven, yendo y viniendo en la oscuridad, casi invisibles. Van haciendo ruidos con la boca y escupen sin cesar. Alguno se pasea con un tizón encendido, como loco, pero seguramente incapaz de hacer nada.

El cuadro es increíble... e inquietante.

En algún momento, mirando a estos hombres, a sus pieles arrugadas, negras, a sus constituciones nerviosas, a sus miradas vacías y sangrientas, a su forma de rascarse y de moverse, de escupir y de comer, me siento como metido en lo fantástico, me siento entre una subespecie, sí... entre simios.

Tenemos que trasladar un rebaño de *bullocks* de unas 400 cabezas de los pastos abandonados de la parte baja de la isla hasta los pastos de la selva, para juntarlos con las otras 300 cabezas que pastan ya en la plantación de Antonio. La cosa no es sencilla, pues el ganado, abandonado durante años entre árboles y lianas, se encuentra ahora en estado salvaje, y además la instalación de vallas, rediles y rampas que queremos aprovechar está vieja y podrida, y se hunde por todas partes.

Si no hubiera habido el puente en el camino habríamos llevado todo el rebaño junto, a caballo, conducido por los *stockmen* de la isla, que son verdaderos artistas. Habríamos bajado hasta Santo, lo habríamos cruzado por su calle principal y subido después hasta la plantación sin grandes problemas, y en un día de trabajo habríamos cubierto los veinte kilómetros de recorrido, sin excitar al ganado ni perder una sola cabeza.

Pero el puente está ahí, y el ganado, en rebaño, jamás querrá cruzarlo.

Pienso que ésta es una ironía del destino, pues este puente fue precisamente construido por Antonio y sus dos hermanos, casi recién llegados a la isla, hace ya más de veinticinco años. Por aquí mucha gente lo sigue llamando aún el puente Martínez.

Con la ayuda de un viejo camión en el que hemos habilitado una gran jaula, una pequeña furgoneta en la que queremos cargar a los más jóvenes, amarrados por las patas, y del tractor con su remolque, empezamos el traslado. Si todo va bien, esperamos terminarlo antes de cinco días.

El primer día, trabajando de sol a sol, casi sin tomarnos un momento de descanso, hemos podido trasladar 95 cabezas y nos damos por satisfechos, pese a que hemos descubierto que el trabajo será difícil y duro.

El segundo día trasladamos tan sólo 60 *bullocks*.

El tercero, 45.

(Espíritu Santo)

El ganado, no muy fuerte de por sí, no está acostumbrado al hombre. Trabajado por varios días de carreras y de gritos, de vallados y rediles estrechos, está nervioso y comienza a ponerse rebelde y peligroso.

El encerrarlo en el redil se vuelve cada vez más difícil, y a veces, después de muchos intentos, nos lleva hasta tres y cuatro horas de carreras arriesgadas y excitantes. Varias veces el vallado se ha hundido y una catarata de *bullocks* ha salido de nuevo trotando hacia los bosques. Es descorazonador.

Algunos bueyes solitarios y algunos torillos extremadamente nerviosos comienzan a atacar, y esto nos impide trabajar con tranquilidad. En algunos momentos se improvisan verdaderos rodeos.

El trabajo, pese a todo, es hermoso, cansado, lleno de mugidos, y de sangre, y de sudores. Hay pieles negras y marrones, lustrosas y húmedas, que corren, que trotan, y hay olores de selva y de vida en libertad.

Me gusta marcar a estos *bullocks* junto a la hoguera, con el fuego al lado y con los olores penetrantes de la carne quemada. Me excitan y me enternecen esos terribles mugidos.

Un grupo de indígenas me ayuda. Les gusta hacer demostraciones de fuerza y de valor, y ése es para ellos el único estímulo para seguir trabajando; yo les comprendo.

Hay un polinesio de la isla Wallys que es tan, tan fuerte, que él solo carga en sus hombros con una vaquilla que nosotros justamente llegamos a levantar entre dos o tres.

La administración de la isla nos ha cedido un grupo de presidiarios para que podamos realizar más fácilmente el traslado. Es un grupo de seis melanesios, negros como la noche, con unos dientes que les brillan al sol. Están de vacaciones en la prisión, en la que nada les falta y en la que algunos se sienten hasta bien. Algunos tienen para bastantes semanas. Sus delitos van desde las peleas y las borracheras hasta la violación. Nada más, lo que no es nada en estas tierras.

Me gusta trabajar con ellos, pues son alegres y buena gente, y en los ratos de descanso se ponen a cantar y a reír acompañándose ellos mismos con guitarras y ukeleles.

Santo bulle de ambiente en su media mañana soleada. ¡Es el encierro! Varios bueyes de anchas cornamentas se pasean por la calle, persiguiendo a la gente y poniendo en peligro los pocos escaparates.

En la cuesta abajo que conduce al pueblo, el tractor se ha salido de la carretera y el remolque ha volcado, quedando en libertad trece *bullocks*. Algunos de ellos están heridos y los pobres atacan a todo aquello que se mueve.

Antonio va con su fusil. Hay que rematar a aquellos que tienen una pata rota o que están muy mal heridos. Nosotros los desangraremos y los apartaremos del camino para que luego los podamos cargar y llevar a casa en una furgoneta.

La gente nos sigue, todo el mundo se divierte. Parecen felices de que, así, de repente, en medio de una tranquila mañana, puedan pasar estas cosas. Llevan consigo también la excitación que produce este pequeño ambiente de peligro.

Un enorme buey hace frente a Antonio y empieza a correr hacia él. Suena un disparo. Entonces el buey, en un último espasmo, trota quince o veinte metros más, sacudiendo sus defensas, y va a morir entre las flores de los setos de un jardín.

La dueña del jardín mira sus flores y al enorme buey. Antonio le promete que le traerá las chuletas, y el *filet mignon*, y el solomillo, y todo lo que quiera, y que, si quiere, hasta se puede quedar con el buey entero, que se lo regala.

Entramos en el bar de Gudin. Gudin, en pie, con aires aristocráticos, acaricia el cuello de un botellín de cerveza. Será el noveno o el décimo de la mañana.

La luz entra en el establecimiento, limpia y tamizada, formando una penumbra agradable que nos hace olvidar nuestro cansancio.

Tres o cuatro plantadores beben. Toman *whisky* o *pastís* para curar sus paludismos.

Aquí se está bien. Como en un templo en el que cualquier hombre de buena voluntad puede oficiar.

Entre estos hombres que llevan la selva y el trabajo metidos en la sangre y en la vida, uno olvida esa selva, y esos toros, y todos esos esfuerzos que tiene que hacer cada jornada. Tal vez todos vengamos aquí sólo a eso, a escondernos un rato de la tierra.

•

Como *clochards* de nuestra época, los voy encontrando por aquí y por allá, a lo largo de mi camino. ¿Es la ilusión de descubrir que me encuentro fuera de las esclavitudes serviles de nuestros tiempos la que me hace mirar a estos hombres así? ¿O es que de verdad pertenecen a una raza diferente?

Ahí están, en la selva donde han echado raíces como un algo más de la tierra, en la bahía apartada donde cuidan de su plantación, en ese pequeño poblado que, gracias a sus esfuerzos, han visto nacer, en la alta meseta, persiguiendo, infatigables, a su ganado.

La vida parece tener unas dimensiones más humanas cuando estoy entre ellos, en sus islas perdidas y olvidadas de la civilización. Me siento lejos, muy lejos de todo aquello que hasta ahora había conocido.

Plantadores, misioneros, marinos, traficantes, ganaderos y colonos forman una galería de personajes extraordinarios y anónimos entre los que los viejos vocablos amor, dignidad, instintos, siguen valiendo y guardan aún su significado ancestral.

Capaces de mover montañas, de contener el avance de la selva, de fertilizar las arenas resecas o el coral estéril, estos hombres ignorados de todos van ganando poco a poco todo lo que tienen. Cada día justifica una noche. Cada comida, un trabajo. Y cada borrachera, una alegría o una tristeza.

Pero ¿qué es lo que da a estos lugares este sabor tan delicioso?: ¿la forma de ser de sus habitantes?, ¿la lejanía de la tierra y el aislamiento del resto del mundo?, o ¿no será este aislamiento el que da a estos personajes una medida que no es más que ilusión?

Hay algo de muy particular en la atmósfera de cada día, una sensación de viejo tiempo que resbala y que se compone en armonía, formando los meses y los años.

Todo parece limpio, aun entre las brumas de la estación de las lluvias y aun entre los espejismos húmedos de los días de sol.

Hay una limpieza agresiva en la vida de aquí que muchas veces irrita y hiere al que viene de fuera y no está acostumbrado. Es la limpieza de las cosas sin rodeos, con su sola cara, su solo camino. Ese camino que sólo se puede seguir o abandonar.

Pero hay también algo más, algo esencial. Las vibraciones de la tierra, el respiro de la tierra, su inmensa soledad.

Yo, aquí, a veces siento miedo.

La soledad, vestida de selva, vestida de lluvias, vestida de horizontes esmeraldas, me pesa de verdad.

En la hamaca llora un niño. Su madre lo mece, absorta y con cariño. Es negra y delgada y sus tatuajes la cubren desde la cabeza a los pies.

Cuando se agacha, sus larguísimos pechos le bailan pendulones y elásticos, como dos enormes pepinos, rozando casi el suelo. La leche le cuelga allá abajo, pesada, redonda, pues está criando.

Cuando está agachada y los pechos se le mueven, a descompás, yo pienso que tiene seis pies.

Sentada bajo un mango, divertida y sonriente, una muchacha joven amamanta a un cerdito.

Siete muchachas se bañan en la playa, al interior del *lagoon*. Y dos mozos también. Todos desnudos. Sus cuerpos son negros y hermosos y se mueven que da gusto mirarlos. Nadan y bucean, y rompen la quietud del mar salpicando alborotados el agua con sus brazos.

Cuando salen, ríen y se persiguen por la playa, y corren flexibles y elegantes, dando zancadas largas, airosas y ligeras, moviendo las caderas y los hombros con sus músculos que relucen al sol.

Es casi el mediodía y hace calor.

Detrás, dentro del bosque, escondido a la vista, está el poblado, con sus cabañas de ramas trenzadas, con sus fuegos que dejan escapar humos azules, con sus niños y sus perros, y con sus árboles del pan que crecen en medio de la tierra limpia y bien pisada.

(Golfo Papu)

Estamos en la playa. Y aquí no hay más que sol, y risas y belleza, y unos cuantos dioses desnudos que corren, se persiguen, y juegan con el mar, con ondas de agua que les resbalan por las cinturas y entre las piernas, haciendo brillar sus limpios hombros.

Sus cabellos rizados jamás se llegan a mojar.

Yo soy feliz con ellos. Estoy fascinado, y me río, y persigo, y salto al mar desde la arena blanca.

Nos une alguna verdad, pero yo no quiero saber cuál.

De la montaña, tierra adentro, bajan los sonidos del tam-tam...

Por la cuesta bajan un grupo de muchachas.

Son jóvenes y fuertes como una tropilla de potrancas. Bajan cantando canciones en francés. Llevan blusas blancas y faldas plisadas de color azul. Todas son negras. Las unas tienen el pelo corto, como si fueran muchachos, y son finas y esbeltas. Las otras tienen el pelo más largo y más negro y son algo más fuertes. Todas tienen los ojos grandes y brillantes y los rostros abiertos al viento de la mañana. Tienen quince años. Son bonitas. Son ya mujeres.

Llegadas al extremo del pontón, dos de ellas han cogido carrerilla y, vestidas, silenciosas, se han lanzado de cabeza al mar.

Las demás las siguen, empujándose las unas a las otras, saltando agarradas de la mano. Tres o cuatro se quedan afuera, hablando muy serias, sentadas al sol. En la mañana se oyen gritos, y llamadas, y alegres carcajadas.

Yo las miro divertido y algo extrañado. No comprendo cómo se pueden bañar con ese uniforme tan absurdo, que no va ni con estas tierras ni con estas gentes. No creo muy bien lo que estoy viendo.

Al salir del agua, las blusas blancas se les pegan al cuerpo y se les marcan, oscuros y redondos, sus duros pezones. Algunas cruzan sus brazos por delante, con gesto de temeroso pudor. Lo hacen para disimular. Me miran con timidez y algunas con vergüenza.

Arriba, en la montaña, se oyen las campanas de la misión...

(Isla Yule)

El blanco es fuerte. Y es poderoso. Y tiene de todo. Con él no se puede discutir, pues siempre lleva la razón. Tiene máquinas y armas. Y ese dinero con el que se pueden conseguir tantas y tantas cosas importantes. Su piel es limpia, y clara, y sus casas altas, y sus mujeres inaccesibles y orgullosas. Su Dios tiene que ser un gran Dios. Siempre nos habla de un hombre que murió crucificado.

Al norte del territorio han muerto tres hombres clavados en tres cruces, en una colina, igual que en el Gólgota.

Las tribus están nerviosas. Se esperan grandes acontecimientos. Vendrán por el cielo muchas, muchas riquezas. Van a llegar en aviones que aterrizarán en los claros de la selva.

Es verdad. Es verdad que han muerto tres hombres. Crucificados. Y nada se ha podido hacer para evitarlo.

La lluvia avanza por la selva. El redoblar de las hojas anuncia su llegada.

Donde estamos, la tierra está seca y el sol hace brillar los verdes de los árboles.

La lluvia se acerca compacta como un muro. La vemos venir.

Ya está al lado.

Ya está encima de nosotros.

No pasan cinco minutos. La lluvia se va. Se aleja por la selva. Se oye su marcha sobre los árboles. El sol está aquí. Como antes. La tierra está mojada y huele bien.

Somos un hombre y un grillo

Me costó mucho salir del golfo. En veinte horas cubrí muy poco más de veinte millas. Como tenía que vigilar constantemente, mi cuerpo se cansaba de tanto estar afuera y mi cabeza me trabajaba demasiado. Más de una vez estuve tentado de volver atrás y fondear en cualquier sitio, puesto que éstos no faltaban. Hubiese sido lo más fácil.

Pasé toda la noche entre una isla y la gran península, y fue la corriente de la marea la que me ayudó a salir hacia la alta mar.

Hacía fresco y por eso me envolví en una manta. Había una tierra cercana, como una sombra oscura sin ninguna luz que me decía adiós. ¿Adiós, o vuelve?

La vela, puntiaguda y oscura, penetraba entre las estrellas suavemente, como ofreciendo a éstas una modesta representación de danza nocturna. Éramos la única vida, el único respiro de la noche. La vela era como el ala de un pájaro infatigable.

Durante más de dos horas se movieron delante de nosotros dos inmensas formas fosforescentes, sin duda dos enormes peces. No eran ballenas ni cachalotes, pues no se oían resoplidos. Pero eran de unos tamaños respetables. ¿Tiburones?... Tal vez.

De nuevo solo, ciudadano libre de los mares, único habitante de la tierra. Llevándome conmigo el hatillo de mis tristezas y de mis alegrías.

Luego vino el viento y durante unos cuantos días fui rápido, muy rápido...

Luego cayó el viento o a intervalos sopló muy, muy flojo en dirección contraria, y entonces fui lento, muy lento...

¿Qué diferencia hay entre ir lento o ir rápido cuando lo que cuenta es estar en un camino?

No me di cuenta de que era feliz. Mi paz y mi equilibrio eran algo que no tenía forma. En unos meses, consciente o inconscientemente, se puede llegar a querer y se puede llegar a amar. Por eso duele tanto luego el quedarse solo. Hasta la fecha de mi partida, hasta pocos instantes antes de quitar la pasarela que me unía con la tierra, no había dado vueltas a mi cabeza a la tristeza de decir este adiós definitivo.

Y ahora estoy de nuevo solo en el mar. Desde hace tres días, el encontrar de nuevo mis olas, mis nubes y mis estrellas no me ha traído el sosiego que necesito. Estoy solo. Y estoy triste. Y desde que mi barco se metió en el horizonte, mi cabeza da vueltas y vueltas, maltratando a mis nervios, cansándome, agotándome, trayéndome a la memoria unas figuras cuyo amor está aún caliente. Incoherentes, locas, unas sonrisas, unas lágrimas, unas escenas se entremezclan en mi alma y la atenazan con un dolor de niño.

Dije adiós con la sonrisa en la boca y con los ojos húmedos. Pero no sé llorar, ni cuando estoy solo, lejos de los hombres.

Vivo así, yéndome siempre, como un nómada, pero hay en mi vida momentos que me pesan tanto que me entran ganas de gritar: ¿Por qué dije adiós si quería quedarme? ¿Por qué me esforcé en amar si luego lo dejaría todo? ¿Por qué voy como un vagabundo buscando el amor y cuando lo tengo lo dejo escapar entre mis manos como el agua de un manantial?

Voy comprendiendo de la vida muchas cosas que frecuentemente he despreciado o he ignorado. Vuelvo a estar solo, con mis recuerdos, con mi extraño presente, con un futuro que va perdiendo la atracción que en un día yo le quise conceder.

Hoy me sobra corazón.

A veces, estos días que van tan despacio, estos días en los que la soledad me desalienta y me descompone, tomando el nombre de una persona —de una persona a la que, porque la vida la hago yo así, tal vez no vuelva a ver jamás—, sonrío a su recuerdo, silenciosamente, le digo algo, me engaño a mí mismo.

He hecho bien de ser sincero y de haberme esforzado por dar de mí todo lo mejor. Me siento aligerado, me siento rico. Y esta riqueza me ayuda a seguir.

He hecho bien en marcharme. Empiezo a sentirme mejor. Mejor que siendo hipócrita. Mejor que siendo débil. Mejor que haciendo concesiones a tantas y tantas cosas que, aunque fáciles, me llenaban de desazón.

Creo que he madurado, creo que he envejecido. Voy cargado de buenos propósitos.

Me voy a aligerar mi alma y a saborear mis viejos pecados.

Durante la noche el viento cambió y empezó a soplar por la popa. El barco comenzó a navegar más rápido, más ligero, con un ruido suave y dulce, como un cántico estival. El brillo de las estrellas se suavizó. Sentí como si estrenara algo: un alma, una vida.

Al amanecer, antes de que el sol saliera, un grupo de peces voladores salió del mar, y, como un abanico de perlas, se desparramó entre las olas, como una sonrisa de la vida.

Qué nombres más hermosos tienen las estrellas: Alpheratz, Saula, Canopus. Me pregunto por qué los planetas se dan miedo: Júpiter, Venus, Saturno, Marte.

Y mientras los demás se instalan en la vida y toman los mejores puestos y se reparten los mejores bocados, yo navego, navego.

¡Viento! ¿Dónde estás?

Porque el viento es lo único que tengo.

Los pensamientos me dan vueltas y rebotan y me abruman y a veces me halagan, cuando no me duelen.

Mis pensamientos son frases, palabras, imágenes, luces, carcajadas incoherentes que se ríen de mí y me aseguran que estoy loco.

Tengo unos pensamientos redondos.

La vida es una constante fantasía. Sólo la fantasía es vida, el resto no es nada. Vegetar, existir. Fantasía lo es todo. Mi curiosidad es querer saber, querer imaginar, querer penetrar en la metafísica de mi yo.

Curiosidad sexual. Tanteos cósmicos. «¡Hola, Julio!» La tierra es redonda. Navega. Navega.

En un tiempo de mi juventud, pensé que yo había venido a este mundo sólo a causa de las montañas. Pasear por ellas, amarlas, comulgar con ellas. Ser roca, glaciar, arista venteada. Cumbre solitaria y tal vez...

Ése soy yo, el que navega. El que quiere saber. El que quiere hacer el amor en una arista venteada. El que desea morirse y desparramar sus cenizas en los bosques nocturnos.

Luego anduve de aquí para allá, exaltándome en mi soledad y en mi libertad y en mi obsesión de independencia... y a veces, hasta pensé que era esclavo de las tres.

Porque yo voy por la piel del planeta. El mar con sus colores, las llanuras con sus pedregales y sus matorrales, las montañas con su estética cruel, sádica, risueña, el viento con sus suspiros y su aliento y sus aromas.

Julio, navega, navega, vamos hacia el Oeste...

Los delfines van delante. Son delfines pequeños, finos, limpios, lustrosos, juguetones. Es un grupo de 20 a 25 que se entremezclan en medio de una suave sinfonía de silbidos, delante de la proa de mi barco.

Cielo azul y luz. Los delfines se persiguen unos a otros. Como en esos juegos de niños interminables e inconscientes en los que el perseguidor se transforma en perseguido, sin jamás llegarse a tocar. Porque si se tocaran romperían el encanto y el juego quedaría interrumpido.

Bajo el agua se ven zigzagueos increíbles, como relámpagos ininterrumpidos de vida.

La mar brilla y los delfines que nadan entre el sol y yo brillan también. El resto son mates. De un hermoso mate.

El grupo crece y llegan hasta 50 ó 60.

¡Delfines, delfines! Quisiera nadar con vosotros, quisiera ser delfín.

(Mar de Arafura)

El mar de Arafura empieza a agitarse.

Al amanecer, por un boquete del cielo, he tomado un par de rectas de Sirius y Achermar, y luego, hacia las 8, una del sol. Sólo por divertirme, por pasar el rato.

Noche magnífica, magnífica, que me permite salirme de mí. Unas nubes blancas cabalgan rápidas por debajo de la luna.

—Mira cómo corre la Luna.

—¡No! Mira las nubes cómo cabalgan por debajo; parecen almas que se van volando hacia otras galaxias.

Miro la noche, abrazándola. Respiro profundamente porque quiero beber la esencia fresca de la serenidad de la noche.

Las nubes pasan. No sé de dónde vienen, pues a lo lejos, en el horizonte, no se las ve venir. Hay pequeños grupos, avanzadillas juguetonas, transparentes y cambiantes. Hay nubes que juegan a ganar, a dejar lejos a las más grandes, esas grandes que se disfrazan de cordero, de mujer desnuda, de caballo, de recuerdo risueño, de estremecimiento de corazón, de caricia, de miedo fugaz...

A veces pasan grupos pequeños de nubes pequeñas como niños de excursión.

La noche es limpia, serena. Estoy en paz conmigo, con Dios, con esos hombres...

Con - e - sos - hom - bres.

El barco avanza en silencio, con sus velas pálidas, llenas de luz de luna.

Hoy, esta noche, en estos momentos, hay un equilibrio de amor y de silencios cantarines en mi alma.

Hoy me siento un niño y no siento ningún cansancio de mi caminar por la vida. No siento ningún estremecimiento al mirar lo que serán mis pecados dentro de cien siglos.

Nada me falta, no hay nostalgias en mi alma, ni dolores en mis recuerdos, ni aprensiones en mis visiones del mañana.

Quisiera que siempre como ahora me bastara con mi presente, sin grandes vanidades, ni especulaciones de futuros, ni ambiciones mezquinas, ni hambres innecesarias.

Noche magnífica, que dueles, que emocionas, que humedeces mis ojos, que paseas por mí unos estremecimientos de placer que me hacen reír y respirar extrañamente.

Noche magnífica, magnífica... que no me dejas dormir.

La tarde la he pasado sin hacer absolutamente nada. Nada de nada. He escuchado, sin darme cuenta que estaba escuchando, el ruido que hace el agua al frotarse contra la carena de mi barco.

Y cuando el sol se ha ocultado, he hablado con un amigo y le he escrito una carta, pero sin lápiz ni papel, pues era una carta mental. Y le he contado un montón de pequeñas cosas.

Sí, hoy, una vez más, la jornada se ha pasado sin que yo haya contribuido al progreso de la humanidad. Y lo que es maravilloso es que por ello no siento ningún remordimiento.

Mientras hacía mis cálculos he oído una sirena. Al lado nuestro pasaba un barco noruego, de Gotemburgo. Un casco blanco que surcaba una mar verde de espumas abundantes. Nos hemos saludado, ellos con la sirena y yo con los gestos de mi mano. Me he puesto un pareo, pues estaba desnudo. Pero no sé por qué me lo he puesto. ¿Estaré aún en el mundo de las vergüenzas y de los pudores?

Luego, me he preparado el desayuno. Tres huevos, medio camembert y lo que me queda de pan. El todo regado con una botella grande de cerveza. También he preparado té, pero no lo he tocado.

Pescado y más pescado. Hoy ha sido un bonito. Me juro de no arrastrar el aparejo, pero al final, siempre, termino por ponerlo.

A la tarde, la mar ha cambiado de color. Estaba navegando en unas aguas de azul oscuro, cuando en el horizonte he visto abundantes pájaros que pescaban, y me he acercado y he visto como en un lugar perfectamente delimitado el agua cambiaba de color.

Es una línea perfecta la que separa las dos aguas. Es una línea que se podría seguir con el dedo. A un lado, la mar oscura; al otro, la mar clara, verde botella, algo turbia.

No hay nubes, por lo que no es, estoy seguro, ningún fenómeno debido al sol. En la carta no hay marcado ningún bajo fondo ni ninguna coloración sospechosa.

Los bonitos saltan con alegría, los pájaros se zambullen gritando con gran alborozo.

Estoy al norte de la isla Melville y tal vez, seguramente, las aguas cambian de color debido a los ríos que desembocan al sur de ésta, en el golfo Van Diemen, a más de 120 millas de aquí. Lo que me extraña es que esta franja de aguas revueltas sea tan estrecha; la he atravesado en menos de media hora.

Pongo el barco a un rumbo con el que salvo ampliamente un arrecife que quedaba a mi oeste. Prefiero pasar algo lejos aunque recorra algunas millas más y así duermo más tranquilo.

El viento sopla por la popa, muy flojo. El barco se desliza a unos cuatro nudos. La navegación es cómoda, y la vida a bordo, deliciosa.

Cuando como, puedo poner el plato en la mesa. ¡Qué pocas veces he podido hacer esto! Es agradable saborear este pequeño confort.

Por la noche salgo a buscar estrellas. A llamarlas por sus nombres. A perderme. A desaparecer. La luna queda detrás de las velas y sus reflejos no me molestan.

Noches del mar de Timor. Noches de equilibrio. Noches trascendentales en mi vida.

Pero... ¿por qué pienso hoy en los hombres?...

Al amanecer, veo dos barcos, uno va hacia el Este y el otro hacia el Oeste.

Leo *El reposo del guerrero*. No me gusta este libro, pero lo termino.

Separo los libros que ya he leído de los que todavía no he leído, pero pongo aparte los que pudiera volver a leer.

Tengo a la vista *Tierra de hombres*.

A la tarde pasa un carguero a una velocidad que me asusta. Se llama el *Darwin Trager* y es de Melbourne.

Los próximos arrecifes están a unas 350 millas. Cuando los pase, tendré ante mí mar despejado durante varios miles de millas.

Peer Gynt con la canción de Solveg, de Grieg.

Miles y miles de medusas, grandes como hongos, nadan a medias aguas. Hace días que las veo, las unas claras, las otras borrosas, las demás lejanas, inalcanzables. Flores misteriosas como grapas suspendidas, caparazones de gelatina viviente, mundos aparte. Parecen ir todas juntas, en la misma dirección. Con sus dibujos en el escudo, parecen cruzados que parten a una misión.

A las que están cerca de la superficie se las ve bien, con un color sencillo, eclesiástico. A las demás se las ve más y más pequeñas, más difusas y misteriosas, perdidas en las perspectivas de su profundidad.

¿Qué diferencia hay entre una galaxia celeste y estos miles y miles de pequeños planetas vivientes que flotan a medias aguas en el mar? Tal vez ninguna.

Esta mañana, entre varios delfines me ha parecido ver las aletas de algunos tiburones. Es la primera vez que veo esto. Será casualidad.

En mi aparejo ha mordido uno pequeño. He hecho lo imposible para que se me escape sin tener que sacarlo del agua. Si lo sacaba me quedaría con olores de tiburón metidos en mi barco y en mi cuerpo por lo menos para toda una semana. Me ha costado mucho sacarle el anzuelo mientras estaba suspendido de la borda. Tenía unos ojos amarillos verduzcos, crueles, fríos.

Otros tiburones me han hecho escolta durante todo este tiempo.

(Mar de Timor)

Por la noche sigue presente ese tiburón. No se ha borrado de mi mente. El tiburón y muchas cosas más. El tiburón y las estrellas. Y las constelaciones, Cisne, Hércules, Perla, Osa, Atria, Escorpión. Y la isla. Esa isla que, porque he decidido irme hacia África, no podré visitar. Y mis amigos de Ophélie. Y el tiburón. Y el sextante al amanecer. Y el tiburón.

¿Por qué hay tantos ruidos esta noche? Y ese pensamiento que me inquietaba, que me fastidiaba. Y del que ya no me acuerdo. ¿Dónde está ese pensamiento que me ha hecho sufrir?

No. No debía de tener mucha importancia, pues de lo contrario me acordaría de él.

Hércules, las Pléyades, el tiburón, Ophélie.

Quiero dormir. Voy a dormir. Orión. Los tiburones. Mi pierna rota.

¿Qué haré después? Sí, ¿qué haré después? Eso es para mí mi caballo de batalla.

Después de dormir. Mañana. Dentro de un año. Cuando vuelva a Europa. No debo volver a esa Europa...

Viento, un poco de viento.

Voy a tocar la armónica...

¿Qué haré? ¿Por qué no tratar con la ayuda de lo poco que yo sé de que los niños no envejezcan? Que sigan niños, poetas, filósofos, vivos, sensibles...

Impedir que los niños se conviertan en viejos, enseñarles los delfines, y los bosques, y las estrellas.

Hay demasiados viejos en el mundo.

Al fin estoy cansado, después de varios días de no dormir. Y duermo con sueño pesado y consistente. Tengo unos sueños que jamás duran más de media hora, pero que a mí me parecen vidas enteras. Son sueños compactos, llenos, bastante lógicos y con sujetos variados e inesperados, que quedan interrumpidos frecuentemente por un despertar brusco o por una necesidad apremiante de saltar afuera y de hacer algo en el aparejo. Y cuando se renuevan, al entrar en la cabina y volverme a dormir, son como un cambio de película.

Salgo, miro el compás, corrijo la ruta, pongo tal vez, si hace falta, un tangón a un foque, y vuelvo a entrar en mi cabina, en mis sueños, en mi mundo fantástico, insólito, lejano.

Y ése soy yo, el que vuela, con mis viejos conocidos, y con esas tramas y esos momentos perezosos que se tejen de vaguedades y de episodios escuchados o vividos hace mucho, mucho tiempo.

Y ese yo, cosa increíble, es el mismo que minutos antes ha corregido su ruta, el que ha mirado el compás en medio del mar, el que vive una vida solitaria desde hace ya varias semanas.

Los personajes vuelven, se renuevan, desaparecen para siempre, hablan, proyectan, beben o me excitan. Son viejos amigos que aparecen fugazmente, borrándose luego para siempre.

No duermo, me voy con ellos, abandonando el barco solo, en su buena ruta, en pleno océano, a más de mil millas de toda tierra, de toda isla, de todo ser humano. Tengo la sensación de ser infiel.

Sueños humanos. Pacíficos. Tontos.

¡Vamos, Julio! No te vayas a soñar. ¡Sigue a bordo! Perteneces a tu barco. Eres del mar.

Caminito de plata que conduce a la Luna. Eres sólo para dioses. Hay peces de luces pero no hay colores. Yo veo reflejos de mis fantasías imposibles de explicar. Estoy seguro de que mi andar por esos reflejos de la Luna, en las aguas del mar, no lo podré vivir dos veces. Es más que una droga. Es una congoja, un nudo en la garganta, una mueca de sonrisa. Es eso, una cosa inimaginable. Son horas y horas y horas de noche quieta. Y de astro que resbala imperceptiblemente.

Plata. Plata. Plata. Plata redonda e infinita. Infinitamente superior a la plata de los hombres.

La pequeña brisa da rizos, ondas, escalofríos, viene y se desliza, caracoleando ligera como una yegua por los hilos delgados del camino de luz.

Caminito de plata que me conduce a la Luna. Camino que va de mis ojos, de mi barco, hasta la Luna blanca, limpia, solitaria, altiva.

Grillo, cántame un poco. Dame tu presencia. Háblame de tus selvas, para que yo me acuerde de los prados de mi infancia.

a t ú n   a r r o z
a r r o z   a t ú n
a r r o z   a r r o z
a t ú n   a t ú n

Al cabo de un mes de mar he cruzado con el carguero *Florian Genowa*, por lo que parece venía de la ruta del sur de África e iba camino del estrecho de Sonda. Este barco llevaba sus buenos veinte o treinta días de mar. Me ha saludado con la sirena y ha seguido su ruta, pero al rato, cuando estaba ya bastante lejos, ha dado media vuelta y se ha dirigido hacia mí. Ha pasado muy cerca con todo el mundo en el puente. Había bastante gente.

Me he sentido menos solo ante este detalle tan cariñoso de venir a saludarme y a darme su simpatía. Este barco me ha traído el calor de los hombres, el calor de su interés sincero hacia mí.

Luego ha dado de nuevo la vuelta y ha seguido su camino hacia Sumatra. Yo he seguido el mío hacia Chagos.

—Adiós. Me habéis ayudado mucho. Vosotros no lo sospecháis.

g r i l l o — d e l f i n e s —
p e z p r e h i s t ó r i c o — L u n a
F l o r i a n G e n o w a

No sé cuántas veces me he preguntado por qué una travesía no se parece nunca a otra. ¡Mi vida en el mar ha sido tan variada y tan extraordinaria! ¿Por qué todas mis travesías se me antojan diferentes y nuevas? ¿Por qué cada una tiene como unas marcas que me son imposibles de explicar?

El Atlántico fue un océano distinto de todos los demás. Sin duda porque fue el primero, mi descubrimiento del mar, mi encuentro conmigo mismo en el mar, mi primera soledad prolongada e irreparable. La exaltación de esta primera travesía, de este océano, se me quedó grabada. Marcó hasta las tonalidades y las formas de las olas y del paisaje de cada día. Son sólo vaguedades las que recuerdo. No me acuerdo de grandes tormentas ni de especiales calmas. Me acuerdo de paisajes y de días y de espacios de tiempo y de dolores indefinibles y de deliciosas alegrías.

Una gran tormenta o una prolongada calma o cualquier accidente o incidente sitúan unos hechos en un océano o en una porción determinada de una travesía. Pero no bastan para marcarla. Una travesía de mil millas es diferente de una de cuatro mil. Pero no pienso que influya mucho en el ánimo, al abordar una travesía, el hecho de que ésta vaya a ser de veinte, treinta o sesenta días, puesto que a partir del décimo día el tiempo que pasa tiene unas dimensiones tan indeterminadas que ya no cuenta.

Por eso, dentro de mi juventud o de mi vida, veinte días en el Atlántico debieran parecerse a veinte días en el Pacífico o en el Índico. Veinte días sin más, tiempo de mar, y de nubes, y de estrellas, y de barco que navega rápido o lento, perezoso o vivo. ¿No es así?

Pues no. No es así.

(Índico)

Cuando miro a las cartas y veo sus contornos o leo sus nombres, disfruto y sueño. Los nombres me evocan cosas que no conozco y anuncian novedades en mi vida. Las cartas anuncian perspectivas buenas y malas y me ayudan a imaginar cosas sorprendentes que algún día me han de suceder.

Cuando miro al cielo se remueven en mí esperanzas y a veces terribles inquietudes. Y las olas que espío me arrullan siempre de forma tan diferente que a veces me asustan, aunque otras jueguen conmigo, meciendo mis momentos de bienestar.

Así se van formando mis estados de alma. Y son estos estados de mi alma, los que el planeta me descubre o los que las vibraciones de los hombres que he conocido o que voy a conocer me transmiten, los que hacen que un mar sea diferente de otros.

Mis soledades en el mar me han hecho descubrir la tierra.

Después de cientos y cientos de noches solo con la mar, he descubierto que ahora amo más que nunca la tierra, yo que he vivido en la montaña como novio declarado de ésta. En mis días de soledad me llegan con el viento en libertad sutiles alientos de tierra y de piedras y de polvo y de árboles.

Por culpa del polvo de un camino o por la fonética de un nombre, la vida es cada día diferente.

Cada travesía está marcada por algo. El espíritu de un amigo, el peso de un pecado de vanidad, la herida de un amor, la exaltación de una tierra o el diálogo particularmente sincero con una estrella. Cada travesía es diferente, el horizonte tiene un contorno particular, los azules son más serios, o más caprichosos, o más alegres, o más... ¡qué sé yo! El paisaje cambia y sirve de marco a mis estados de alma.

La diferencia entre un océano y otro la llevo dentro de mí. La llevo con mi vida, en mis vivencias ya pasadas, en mis horizontes.

Hoy lo que llevo en mi alma es un bosque de robles. Un bosque de viejos robles de mi infancia.

Sí. Tengo un grillo en el barco que me hace compañía. No sé en dónde subió a bordo. Tal vez en la isla aquella donde se comerciaba con las perlas, en medio del mar del Coral, tal vez en la bahía de la Misión en el golfo de los Papús. Lo más probable es que llegara montado en algún racimo de plátanos, regalo de los indígenas.

Cada noche, cuando las luces se van y empieza a verse un poco menos claro a bordo, mi grillo empieza a cantar. Es fino cantando, y no se cansa.

A pesar de las semanas que llevo en el mar, mi grillo sigue cantando. Yo no lo he visto todavía. Aunque muchas veces, guiándome por los sonidos de su voz, busco con mi linterna en todos los rincones de la cabina, no logro saber dónde está, pues su canto me llega de todas partes al mismo tiempo.

Estoy seguro de que, durante el día, mi grillo me mira, bien instalado en su escondite, y seguramente se divierte espiándome y riéndose de mí.

¿Qué comerá el grillo? Las primeras semanas le solía dejar unos trozos de hojas de col para sus comidas, pero jamás los tocó. No creo que en mis cofres pueda haber nada que le pueda gustar. Pienso que si canta es porque vive bien y es feliz. Tal vez no necesite más.

Mi grillo canta suave pero no habla. No necesita hablar, ni decir cosas, ni pronunciar bonitas sartas de palabras. Él está, me hace compañía. Su presencia me basta. Es un ejemplo para mí. No necesita adular a nadie, ni inclinarse ante mí, que presumo de tener inteligencia. Mi grillo es una vida como la mía, y los dos navegamos en el mismo barco durante días y días, semanas y semanas. Somos los dos únicos habitantes de este mundo flotante y convivimos en perfecta armonía.

Somos un grillo y un hombre o un hombre y un grillo, y nos complementamos.

Sentado afuera, dejo que el sol me acaricie, me abrace, me broncee. Tengo como una sensación única de comunión con él. El sol penetra en mi cuerpo y en mi espíritu.

El cuerpo está caliente y huele a sol, mis músculos han adquirido el color del cobre y se han tostado y rebosan moreno.

Abrazándola, miro mi desnudez y la amo. Ni mi instinto ni mis pensamientos me hacen añorar nada que no sea lo que tengo ahora aquí.

Agarrándome a los obenques, o tumbándome en la cubierta seca y blanca, me estiro como un joven animal, hincho mis pulmones, tenso mis brazos, hundo la boca de mi estómago emitiendo bostezos de bienestar. Y luego me dejo relajar, con los ojos medio cerrados, dejando entrar en mi alma tan sólo la luz necesaria para regar mis alegrías.

Siento un extraño placer al pasar mis manos por mis piernas, por mis caderas descarnadas, por mis hombros calientes, o por el hueco profundo de mi estómago.

Me voy dejando despertar a la luz, pero sin demasiadas prisas. Me siento como un potro o como un joven alcatraz.

Hay una quietud total. Se ha establecido un diálogo silencioso entre lo mío y yo.

El color de mi cuerpo con sus músculos dormidos, resaltados por la luz y por las sombras, me embarga de confianza.

Me detengo en la cicatriz de mi pecho y la recorro lentamente con la punta del pulgar. El color bronceado no ha logrado borrar el costurón, pero lo viste de un aire inofensivo. Como una pequeña broma, como una diversión.

Y me sonrío. Porque estoy contento. Porque hoy me gusto como soy. Porque estoy bien, feliz de mí. Porque me he enamorado de mi persona. Y sonrío a mi vida y a todo lo mío. Y mi sonrisa debe ser sublime, pues soy consciente de que es mía. Y por tanto única en la tierra.

Me emociona mi cuerpo y me emocionan mis perspectivas de vida dentro de él. Y sonrío al tiempo que va a venir porque sé que lo voy a pasar conmigo, y con lo que soy, y con lo que acabo de descubrir. Me he encontrado a mí, dentro de mí, en cada parte de mi yo.

Sol, mírame. Éste soy yo. Tú y yo nos podríamos comprender. Me gusta que me acaricies y que me calientes y que me permitas introducirme en esos espejismos que me obligan a mirarme hacia adentro. ¿Sabes por qué te sonrío? Porque estoy contento. Contento de esas cosas que siento, y que soy capaz de sentir. Y me sonrío porque soy el dueño de este cuerpo tan perfecto en el que nada me falta ni nada me sobra para vivir en armonía. Porque... ¿dónde están esos defectos que tanto me han molestado alguna vez?

Mis manos, mis dedos, mis pectorales, mis hombros, mis ojos, son unos milagros. Me admiro y me amo porque puedo respirar y mi respiración es un canto a la vida, y porque los latidos de mi corazón son unos latidos divinos. Me emociono porque, aunque hoy no lo necesito, hay en mi futuro muchas horas de amor y de cuerpos compartidos, y de caricias, y de calores íntimos, y de pudores, y de temblores, y de estremecimientos de placer, y de sonrisas, y de sueños como los de los animales, y de charlas con mi corazón.

Mi ser se emborracha, rebosa lo que es. Lo que es hoy, cuando ese sol lo ilumina y lo hace relucir.

Me confundo con el tiempo, y mi yo y mi hoy se mezclan y se aman. Dulcemente. Encarnizadamente.

Siento una alegría salvaje, sencilla y animal de ser un hombre y de estar en esta tierra.

La mañana avanza, el sol avanza, el barco avanza. Cada hora que pasa hace un pellizco más de calor. Las nubes, salvo algunas muy pequeñas, siguen escondidas lejos, muy lejos, detrás del horizonte. No existen grandes olas ni malas mareas sino en otros planetas, no en el mío.

Es la una de la madrugada. Pero podría ser cualquier hora, pues las agujas de un reloj no son más que números sin sentido.

La noche está iluminada por la luna. Entre las nubes blancas se abren pedazos de cielo oscuro por donde asoman las estrellas. Antares está más o menos a mi proa, un poco a babor. A la popa, Aldebarán, Riguel y las simpáticas Tres Marías de la constelación de Orión.

Estas estrellas me aparecen y desaparecen, a ratos borradas por algunas nubes viajeras que resbalan por el aire, veloces, empujadas por el viento.

Aunque la mar está un poco agitada, la noche es bella y me comunica todo el bienestar que yo necesito. Son como bocanadas frescas de sonrisas.

La Cruz del Sur se me hace ya tan familiar como si yo fuera un cometa que lleva mil años navegando.

Voy por un callejón de estrellas. Y pienso en personas a las que quisiera mirar a los ojos, sonreír, acariciar y besar. Personas con las que me podía haber comportado mejor.

Pero el tiempo se ha pasado, y yo me fui y munca las volveré a ver.

Vamos avanzando por ese camino marcado por la luna, como si fuéramos algo más, una célula, una pequeña vida, un componente ínfimo del movimiento del universo. Vamos mi barco y yo. Yo sobre mi barco. Yo, solo sobre mi barco.

He pasado once días de calma, de calma demasiado enervante. Por suerte el cielo ha sido azul y he coincidido con la fase llena de la Luna.

Once días.

Ayer noche, un bando de delfines me trajo el viento. Y empecé por fin a navegar a un ritmo al menos perceptible. Los delfines que iban más rápidos que yo zigzagueaban delante de la proa para no quedarse adelantados y solos.

Hago pan en la sartén y me sale muy bueno.

Leo *La náusea,* de Sartre, y un policíaco de J. H. Chasse. Los dos a la vez.

Paso el arrecife Ashmore. El último obstáculo antes de perderme en el Índico. Estoy a casi cuatro mil millas de mi próxima escala. El océano se abre delante de mí, sin arrecifes, ni líneas de navegación, ni islas peligrosas. En las semanas que van a seguir podré dormir tranquilo.

Pienso en Indonesia. Doy algunas vueltas al porqué de no haberme parado. Pero no lo siento. ¡Otra vez será! (Tal vez sí, tal vez no, pero no importa.) Y me pasaré en sus islas meses y meses.

No. No hago colección de escalas, ni de países, ni de trofeos de viajero. ¡No! Busco la vida, y la saboreo, procurando no destruir sus secretos. Indonesia está ahí y ahí ha de estar siempre. Y me hace pensar y me hace soñar y me ayuda a vivir mirando hacia el futuro. Si lo veo todo ahora, ¿dónde estarán los encantos del planeta, si todo lo conozco?

Prefiero que la tierra sea coqueta y no me importa que me atormente un poco con los misterios de sus intimidades.

El poeta sueña con el amor, y este amor soñado es la exaltación de su vida, pero en el fondo no sabe que esta fase de su amor no realizado y no correspondido es lo más hermoso y sublime de este amor.

Tal isla existe. Dicen que es hermosa. Dicen que sus habitantes ríen. Dicen que la gente es indolente. Y esa isla que yo pienso que existe, porque he oído hablar de ella y porque la he visto en mi carta, me dice muchas cosas. Seguramente yo nunca la veré, pero el hecho de que yo piense en ella, le da un valor enorme, gigantesco.

La rodean unos horizontes azules, la habitan unos hombres morenos, y su existencia vaga, remota, es ya de por sí una vibración, una realidad de la tierra.

El hacerlo todo, todo, sólo satisface la vanidad. La vanidad es algo bien agradable y mueve casi todos los mecanismos de la vida. Pero lo hecho por vanidad pierde su sentido. El alma se insensibiliza.

grillo — cri — cri

¿Para qué estamos en la tierra?

El hombre duerme, come, procrea, habla, se cree, cree que cree, cree que no cree, esconde sus complejos, afila sus escrúpulos, se revuelca, se hunde, respira, ahorra, sufre y muere. Es terrible.

Un geranio nace, muchas veces en su tiesto, tiene unas hojas verdes, redondas, aterciopeladas, olorosas. A veces tiene flores, unas flores sencillas, modestas, risueñas. Un geranio es una flor hermosa. Pero sin más complicaciones. Su hermosura tiene un sentido estético...

El sol da vueltas alrededor de la tierra, el sol ilumina, despierta colores, calienta a los geranios, y a los bosques, y a los ríos. Pero los hombres no ven en el sol sino a una sustitución cotidiana de las tinieblas. La vida es corta, pero no es eterna si no se cree en la eternidad.

El planeta da vueltas, y vueltas, y vueltas.

Soy, en mi barco, como un cangrejo ermitaño.

Mientras, para pasar el tiempo, enredaba en los últimos rincones de mi barco, he encontrado un pedazo de madera de pino que olía a resina. Su aroma, su olor a bosque, me ha emocionado y me ha preparado un especial estado de alma que me durará todo el día. ¡Oler a bosque en medio del océano!

Sentado en mi litera, mirando hacia la nada, me siento ausente. Paso la tarde pensando en bosques, bosques profundos e infinitos donde se puede andar sin temores de verse pronto fuera de protección. Hayas, robles, encinas, abetos, alerces, matorrales y hojas, hojas que cubren los suelos por donde discurren escondidos senderos. Y arroyos, y cabañas, y rayos de luz tan finos que recuerdan la mirada de Dios. Y juegos de colores y juegos de luces. Y cantos de pájaros, y hogueras.

Olor de fuego de madera, olor de ramas, olor de resinas.

Y crepitar nocturno de troncos enrojecidos.

Al final se me ha ocurrido que no había ninguna razón para que yo, hoy, no tuviera también mi hoguera. Y por eso, sin darle más vueltas, he empezado inmediatamente a sacar astillas de mi rama de pino, y con la ayuda de mi cuchillo he raspado algunas finas virutas. Luego, en una lata de conservas vacía, una lata de boca bien ancha, he ido colocando mi pila de astillas y le he dado fuego.

Mi hoguera ardía. Era una hoguera bien pequeña, pero en mi alma era un fuego fantástico. Las llamas eran claras, sin muchas pretensiones, pero llamas de verdad. Y la madera se ennegrecía emitiendo pequeños crujidos de bienestar y de satisfacción.

En mi barco huele a hoguera, a ramas de pino, a bosque.

Mi barco es un templo en medio del océano.

He empezado un nuevo saco de arroz. Un saco grande de cinco kilos. Se trata de un arroz más basto que el que comía hasta ahora y todavía no le he cogido la mano y se me ha cocido un poco demasiado. Es un arroz australiano. Lo he comido con un poco de atún y algunos tallos de cebolla germinada. Y para darle algo de color le he echado una chorretada de salsa china, el *soyo*, ese líquido marrón de extraño color.

Ahora preparo té. Lo voy a hacer ardiente y muy, muy cargado. El agua hierve ya, y de la tetera sale precipitadamente el humo.

La radio me trae las notas de *Petruschka. Petruschka,* de Stravinski.

Petruschka, hoy, me emociona. No sé, sus notas, su limpieza, los recuerdos que quiere traerme pero que no me trae. Y hasta la palabra misma. *Petruschka.*

Petruschka. Petruschka. Petruschka.

Estoy solo. Demasiado lejos de todo. ¿Qué hago yo aquí?

El barco es una prisión. Una prisión temible, y la bóveda del cielo son sus muros. Unos muros inmensos, de dolorosas resonancias.

Imposible esconderme. Imposible perderme para sentirme menos solo y menos miserable. No hay aquí nada más que mar gris y cielo gris y un barco solo, perdido, maldito.

Estoy solo en este universo vacío, hermético, donde la esperanza no existe. Donde ni tan siquiera existe la esperanza de la esperanza.

El espejo que es este universo me da una imagen demasiado detallada... de mí...

Durante el día es la luz; durante la noche, las tinieblas, y no hay otros términos. No hay posibilidades de equivocaciones piadosas que me puedan dar una ilusión falsa o una imagen transformada, más risueña y menos cruda de esta existencia que hoy veo tan vacía e inútil.

Y la mar siempre está ahí, a mi alrededor, corriendo, empujándome, haciéndome perder la vista en unos miedos tenaces.

Me atormento con cosas, con ideas que llegan a adquirir dimensiones abrumadoras. Los pensamientos vuelven y vuelven, machaconamente, sin dejarme descansar ni rehacerme, obsesionándome. Es el peso de pecados, de cobardías, de olvidos, de tropiezos de la imaginación e incluso, a veces, sin más, de cosas y objetos que empiezan a presentarme, así, de golpe, unos carices insoportables.

Manías, vértigos, malestar, que cansan, que duelen, que oscurecen el horizonte.

La voluntad no ayuda, no sirve, pues el mal, la miseria, el infierno, me sale de dentro y nada hay que pueda atenuarlo o que pueda hacérmelo olvidar.

Soledad, enfermedad terrible, que se renueva con unos presentes crueles e infranqueables de los que no se puede escapar.

Solo con mis miserias, solo con lo que soy y lo que no soy. Débil, derrotable, prisionero de mí mismo, ésta es la otra perspectiva de la soledad, la dolorosa.

Flor de mil colores, de mil pétalos, estéril, incolora, vacía.

—Dime, grillo, adónde vamos.

—Cuéntame cosas de tus selvas.

—Déjame parecerme a ti.

—¿Cambiamos nuestras vidas durante unas semanas? Total, aquí donde estamos, tú lejos de tus verdes bosques, yo lejos de mis hombres, podemos hacerlo. Nadie se enterará. Somos amigos, ¿no?

—Yo te quiero, grillo. ¿No te irás del barco en la próxima escala? Tenemos que seguir juntos. Formamos una buena pareja.

Ici repose Chantal Bochotte

Sotavento. Mar calma y olores de tierra, de árboles y de hogueras. Veo la entrada al atolón. Sé que al norte de la isla hay tres pasos para entrar en las protegidas aguas del mar interior. Sé que la más fácil, la más ancha y segura es la entrada situada más hacia el Oeste y que la más difícil y peligrosa es ésta, la del Este, la que tengo ahora a mi proa. Pero como estoy impaciente por llegar, escojo esta primera y me adentro, mirando cuidadosamente los relieves del fondo, hacia el mar interior.

De repente siento una gran contrariedad. En el *lagoon* está fondeado un gran carguero. Es extraño, pues creía que la isla era visitada una vez cada tres meses por un pequeño cabotaje o por una vieja goleta de tres palos que venía para recoger la copra, el pescado seco y las conchas de tortugas. La presencia de este barco es algo insólito y extraño.

Vigilando mi navegación, avanzo por la entrada remontando suavemente el viento. Veo perfectamente en el fondo cada macizo de coral, pues no hay más de dos metros de profundidad.

Una bordada, otra bordada en zona todavía poco profunda, y estoy al fin fuera de todo peligro, en aguas calmas, azules y profundas.

Me dirijo hacia el carguero. Me parecería poco correcto pasar cerca de él y no saludarle. Pocas veces un velero y un carguero se podrán encontrar a la vez en esta isla. Vamos, digo yo.

Sus mástiles de carga se mueven, trabajando sin descanso, como si fueran antenas desarticuladas de algún monstruo.

Oigo ruidos de motores y anfibios que van y vienen del carguero a la playa y de la playa al carguero.

En la playa, *bulldozers*, camiones, *jeeps*, y un mundo que se mueve entre unos ruidos que por suerte se lleva el viento.

Y entre los cocoteros, hangares y construcciones militares de color verde guerrero.

Siento una dolorosa decepción.

El conjunto, en otro lugar, no me hubiera chocado, pero hoy no me siento preparado para encajarlo así como así.

Me acerco a vela hacia la playa, hacia ese campo militar surgido con tanta brutalidad entre las cándidas ilusiones de mis esperanzas.

Mientras preparo el fondeo, una estruendosa motora se me acerca y me indica con gestos el mejor lugar donde puedo fondear.

(Islas Chagos)

¿Dónde está mi isla, con su poblado indígena, dónde están esos hombres que recogen los cocos para extraer la copra y que pescan en las quietas aguas del *lagoon* esos pescados que luego salarán y secarán?

¿Dónde está la isla que durante siete semanas estaba lejos, muy lejos, detrás del horizonte?

Fondeo y pliego las velas. Una motora dos o tres veces más grande que *Mistral* se me acerca y me invita a ir a tierra.

Abordaje peligroso, pues el viento es fuerte, hay un cierto oleaje y mi barco se agita nerviosamente ante la proximidad de esa gran masa de acero que con potentes motores evoluciona, pavoneándose alrededor de él.

Creo que mi barco no siente ninguna simpatía hacia las grandes motoras ruidosas, malolientes, estúpidas, sin clase ni aristocracia ni alma.

Bloody stinking boat!

Desembarco en la playa. Uniformes caquis. Disciplina. Limpieza. Símbolos por todas partes de un progreso que yo no llego a asimilar.

Visito al comandante de la base. Militar amable, joven, correcto y educado. Me ofrece todo lo que yo pudiese necesitar y se lo agradezco. Como con unos oficiales en un *self-service*, y ya entrada la noche vuelvo a bordo hecho un laberinto de contradicciones.

A la mañana siguiente, pongo las velas, levo el ancla y me traslado por el interior del *lagoon* hacia la otra parte de la isla, en donde queda un poblado criollo.

Mientras navego por las aguas calmas voy jurando y perjurando contra la civilización.

Los días pasan lentos, extraños y perezosos. Llueve frecuentemente. Eso es normal en los trópicos. Pero al no hacer frío, las nubes y la lluvia no son cosas muy molestas. El viento agita las ramas de los cocoteros, sacudiéndoles el agua, que cae entre la hierba y los matorrales como perlas de verdad.

En la atmósfera flotan aromas y silencios.

Algunos pájaros blancos revolotean entre los troncos grises y mojados y entre las ramas verdes. Tienen los ojos negros, temerosos, y pían cerca de aquel que se pasea, como avisándole que algo va a suceder.

Estos pájaros tienen la suerte de poder volar de isla en isla, tienen la suerte de poder elegir sus rocas, sus árboles y sus compañeros.

La playa es blanca y alegre, incluso cuando el día está oscuro o cuando las luces empiezan a marcharse. Detrás de la playa se levantan los cocoteros y otros grandes y viejos árboles, seguramente centenarios.

Escondidas entre esta verdura, invisibles, están las pocas casas del poblado llamado Punta del Este.

Dentro de unos días, toda su población deberá abandonar el atolón, dejando el campo libre a la base militar. Está previsto instalar a toda la gente en un par de islas más al Norte, a unas 150 millas de aquí.

El cementerio está desierto. Unas cuantas docenas de tumbas, orientadas más o menos de Este a Oeste, levantan sus pequeñas y toscas cruces en medio de un claro, entre grandes árboles.

Son tumbas sencillas y sin pretensiones, como se debe, construidas en una especie de conglomerado de poca belleza pero al que, en el conjunto, no falta carácter y austeridad.

Las raíces de un viejo árbol han agrietado y deformado una losa.

Ici repose Chantal Bochotte
décedée le 10 juin 34 à l'age de 37 ans
à Pointe de l'Est.

Por aquí y por allá crecen arbustos y matorrales de fuertes aromas y también algunos eucaliptos todavía jóvenes.

En un plano inclinado de algunas losas, metido en un limpio y transparente tarro de cristal, tal vez de mermelada o de pepinillos, un ramillete de flores artificiales sonríe triste, como una niña muerta.

En el cementerio se respira paz. Y, sin más, se llegan a comprender muchas cosas.

En medio de estos muertos que van a ser abandonados antes de pocas semanas, la vida tiembla imperceptiblemente. Como un fantasma caprichoso y poco serio.

Voy de casa en casa, pasando el tiempo.

—¿Para qué son esas cajas?

—Son para guardar las colmenas.

Uniendo tablas, cortando, clavando a golpes de martillo, mi amigo el señor Men construye cajas donde luego guardará los objetos de su casa y de su familia. Sus cinco hijas juegan cerca, sin hacer ruidos, como temiendo molestar. Miro su trabajo en silencio.

El jardín está abandonado. Todo vestigio del cariño de este hombre hacia las plantas y hacia la tierra ha desaparecido. Ningún palo sostiene las enredaderas. La cizaña y las malas hierbas crecen por todas partes, y ya no hay frutas, ni flores, ni verduras. La vida se va retirando del jardín y de la casa, casi al mismo tiempo que del resto del poblado.

Debe de ser difícil volver a empezar cuando se estaba ya lejos, orientado sencilla e ingenuamente en un camino.

Más allá, sentado en la puerta que mira hacia el camino que conduce al poblado, está sentado el viejo Solimán, el viejo y majestuoso enfermero indio.

Solimán pasa horas y horas sentado en el frente de su hospital, como si esperara un enfermo. Como si esperara algo que, sin duda, no ha de llegar jamás.

En realidad, Solimán, con sus ojos tristes, con su cara morena y apagada, con su torpe y pesada figura, no espera otra cosa que el día de la evacuación de Diego.

Junto al viejo molino de copra, los niños se persiguen.

La gente está sentada en el silencio del atardecer. Están callados, con sonrisas apáticas, como aceptando unos acontecimientos que sobrepasan su entendimiento.

Muchas noches se me invita a cenar. La cena es modesta pero bien preparada. Fuerte y picante. Las veladas se prolongan durante horas, con estrellas que se asoman curiosas entre las nubes, con cantos de grillos y con ladridos lejanos de varias docenas de perros.

—*Alors, vous avez vendu votre île aux américains?*

—*Mais non, on reviendra dans 50 ans.*

Ésta es la respuesta asombrada, salida sin darle muchas vueltas a sus mentes infantiles. Y no hay ironía.

¿Qué serás tú, pobre desgraciado, dentro de 50 años, qué serán tus hijos, y tu isla? Con tantos campos militares, con tantas bases, con tantos ensayos nucleares, con tantos políticos y diplomáticos, con...

En el jardín, casi bosque, detrás de la hermosa y vieja casa del administrador de la isla, hay una variedad de árboles de todos los tamaños.

Hay buraos de ramas limpias, de hojas amplias y redondas y grandes flores de color amarillo pálido que a veces parecen de papel.

Hay pequeños limoneros, de ramas retorcidas y espinosas, llenos de fruta.

Hay una especie de endrinos cuyas ciruelas son terriblemente ácidas y tienen unas formas divertidas.

Hay varios majestuosos árboles del pan con sus ramas limpias, bien separadas las unas de las otras, con sus horcas dibujando esculturas en el cielo, y sus hojas enormes, sin defectos, perfectas, repitiendo los reflejos de la luz en una de sus caras y mostrando discretamente su verde mate y pálido en la otra. Son unos árboles aristocráticos, pese a la sencillez simbólica de sus frutos. Éstos maduran en las alturas, bien definidos, redondos, macizos, verdes.

Sobrepasando todos los demás árboles, casi tan altos como los más altos cocoteros, se levantan cuatro hermosos siameses pegados justo al ras del suelo, cuatro árboles de guata, que aquí, en el Índico, se dice *kapoc.*

Tienen los troncos gris lechoso y sus dibujos forman una extraña geometría, con sus ramas abiertas como innumerables brazos que se van haciendo cada vez más delgados, y que resbalan por las alturas, paralelos al suelo.

Sus frutos cuelgan reventados, secos, dejando salir de sus entrañas pequeñas masas ligeras de nieve blanca.

Alrededor de los troncos, por el suelo desparramados se ven mechones de lana, suave, cálida, agradable.

Hoy me han regalado un almohadón relleno con la guata de este árbol y después me han contado la bonita historia de cómo llegaron sus semillas hasta esta isla. Es una historia insólita y bonita.

Bernard Moitessier, hace ya bastantes años, bajaba navegando en solitario por el océano Índico. Iba en su pequeño junco *María Teresa,* con el que había salido de Indochina hacía más de cien días.

Había remontado el monzón durante semanas y semanas, y cuando al fin llegó a la zona de los alisios de S.E., una noche, mientras dormía, su barco naufragó en el arrecife de Diego García.

Del *María Teresa* no se pudo recuperar nada, o por lo menos nada de valor. El casco fue destruido por el oleaje y la resaca, y no quedaba a las pocas horas nada de él, como no fueran unas cuantas planchas de madera prácticamente inútiles.

Moitessier pasó un mes o mes y medio en el atolón, en espera de que algún barco lo evacuara.

Una mujer encontró sobre la roca, junto al naufragio, un almohadón de guata, mojado. Y se lo llevó a su casa, poniendo luego la guata a secar, pues quería hacerse para ella un nuevo cojín.

A la vista de las pequeñas semillas negras que encontró en su interior, le pasó por la cabeza la idea de que no había razón de que éstas no dieran con el tiempo sus frutos de guata.

De estas semillas nacieron estos cuatro árboles, que con el tiempo se han convertido en unos de los árboles más grandes de la isla.

Hoy es domingo

Hoy es domingo, y en mil detalles se ha notado.

La mar ha rodado bella, bella, muy bella bajo un cielo despejado.

Para mí ha sido un domingo de optimismo, y lo he respetado. He leído sin prisas, con indolente alegría. He saboreado el aire y la brisa, y la limpidez de la atmósfera, y he buscado en la radio las ondas familiares y humanas de este día. ¡No sabía que me gustaban tanto las canciones de los cultos religiosos!

Ahora es la noche del domingo. Dentro tengo encendido mi fanal de petróleo. Esa llama lo es todo para mí. Me permite ver, me permite soñar, me permite olvidar. Es como el corazón de mi universo. Las cortinas bailan al vaivén del barco que avanza por la noche.

Estas hojas que estoy llenando son como un amigo con el que hablo de vez en cuando. Aunque esta noche no me siento muy hablador.

Fuera es de noche. El mar está a oscuras. La luz de mi candil no sale de mi cabina.

Empieza otra semana. Otra semana de mar. Lunes, martes, miércoles, jueves, viernes, sábado, domingo, lunes, martes, miércoles... lunes, martes... lunes, jueves... sábado, domingo.

Se llamaba Agalega. Bonito nombre, ¿verdad?

Fue tan extraño, fue tan fugaz, y el tiempo y la mar me han llevado con ellos tan rápidamente, que me estoy preguntando si no habrá sido un sueño de esta noche.

Llegué de mañana, después de muchos días de mar. Era una de esas islas de coral con unos cocoteros tan altos que se veían a casi siete millas de distancia. El fondeadero era infame y mi barco se movía agitado por unas olas que le llegaban de todas partes a la vez. Cuando los indígenas me llevaban hacia tierra en su piragua estuve pensando en decirles que me llevasen de nuevo a bordo, y marcharme en seguida. Tenía miedo de que las olas y el fuerte viento se lo fueran a llevar... a mi barco. Pero una vez en la playa, no sé por qué, mi temor desapareció.

Me dicen que soy el primer velero que llega a la isla. Me lo dicen en criollo. Y me miran con admiración, moviendo la cabeza para un lado y para el otro, chasqueando la lengua al mismo tiempo. No sé a dónde mirar. ¡Hay tanta gente pendiente de mí! ¡Y tantos colores! Mi mirada se desliza hacia sus pies descalzos y luego sube hacia sus ojos negros. Esos pies descalzos debajo de tantas miradas me están turbando.

Comimos un *curry* muy fuerte, con arroz blanco. Y me bebí tres cocos verdes, en una cabaña de paja.

Doy un corto paseo por el bosque acompañado por un viejo y por dos críos. Pero ya me quiero volver a bordo, pues estoy nervioso. Tengo miedo que las corrientes se lleven a *Mistral* y yo me quede aquí, sin nada, hasta que el cielo lo quiera. Sería tonto el perderlo así...

Y desde ayer navego de nuevo. Estoy en el mar hace muchos, muchos días, si es que no cuento las dos o tres horas que pasé en la isla. Ni estoy seguro de haber estado en una isla.

Amanece y la manta se me pega al cuerpo mientras, con los ojos cerrados, escucho los ruidos del viento, y mientras, a pequeños sorbos, voy respirando la humedad fresca de la mañana.

¿Estuve en Agalega... ayer?

¿No habré soñado que estuve en una isla?

Sólo una cesta de hojas trenzadas, llena de fruta fresca, me puede contestar.

Hoy he visto por primera vez al grillo.

Pierre-Philippe lo ha encontrado. Pierre-Philippe, que tiene cinco años, ha venido a dormir al barco cuando estaba fondeado delante de una playa de arena blanca.

No hemos dormido en toda la noche, pues mi amigo quería saber cómo era mi grillo. Hemos cenado en la playa, pero luego, de regreso al barco, hemos pasado toda la noche levantándonos de las literas, con nuestras linternas encendidas, guiándonos por los cri-cris.

A las tres de la madrugada, Pierre-Philippe me ha despertado.

—¡Julio! ¡Julio! *Voilà ton grillon!...*

Mi grillo es negro, con pequeños reflejos rojizos. Es muy, muy pequeño, y tiene unas antenas larguísimas. Yo lo miro en silencio, estoy cohibido, triste, avergonzado. Y no se me ocurre decir nada.

(Madagascar)

Las aguas del puerto están lisas, dormidas aún, esperando silenciosas la llegada de las pequeñas brisas diurnas que las han de hacer temblar.

Un grupo de gaviotas paradas sobre un muelle discute ruidoso. Se trata de una querella quieta y pasiva, seguramente sin grandes argumentos.

A lo lejos, una palmera vive su quietud, consciente de su importancia dentro de la composición del paisaje.

Mistral está amarrado a *Ophélie*, como suspendido a su flanco amarillo, como si fuera el amigo de un hermano menor.

Ophélie está abarloado a un viejo *dhow* de pesada silueta, con cabina cubierta por un espeso techo de pajas que le da un aspecto insólito. Tiene un mástil grueso y tumbado, y su vela latina, fija en su larga vara, se recurva sobre el puente.

De la cubierta sale una gran humareda azul que se eleva suavemente entre los mástiles de nuestros barcos y que hace que la atmósfera huela a fuego. Es la hora del desayuno. Es la hora del primer té.

Es fantástico que este ensamblaje de viejas maderas secas y de pajas relavadas por el tiempo llegue a vivir tantos años, esquivando los peligros de la mar y el riesgo continuo del fuego de su precaria cocina de madera y carbón. Debe de estar especialmente bendecido por el buen Mahoma.

Estos *dhows* que parecen salidos de una leyenda de *Las mil y una noches* siguen navegando en este siglo XX. Pese a las prisas de nuestros tiempos, ellos siguen surcando las aguas del canal de Mozambique, conducidos por esos marinos que saben encontrar la tierra sin la ayuda de brújulas ni de sextantes.

Me pregunto qué es lo que mantiene a flote estas embarcaciones y qué es lo que mantiene en su vocación de marinos a sus negros y curtidos tripulantes.

No será lo que les aporte el tráfico de cereales que llevan de aquí para allá, conservándolo milagrosamente seco en sus calas llenas de ratas. Deben de traficar cosas misteriosas, objetos escondidos en silencio y rodeados de calladas ceremonias. Drogas, especias rarísimas, ¡qué sé yo!, y ese tráfico debe ser el que mantiene la llama extraña y sencilla de sus existencias.

Con esos *dhows* se van a las islas Comores, y cuando el viento no quiere ayudarles invierten más de dos y hasta tres semanas en recorrer algo menos de 200 millas.

Pero también van hasta las costas de África, hasta la lejana Zanzíbar, o hasta Somalia, Socotora o el golfo de Aden.

Los hay que, desde Zanzíbar, se van con sus desvencijados cascos hasta Colombo, en la isla de Ceilán, atravesando esta difícil porción del océano Índico.

Cuando se trata de hacer largos viajes, estos barcos realizan sólo uno cada año, aprovechando los alisios del S.E. para remontar en una dirección, y esperando hasta la época de los monzones de N.W. para volver de nuevo.

Pienso que todavía queda poesía bajo el sol.

(Nossi-Be)

Marinero de mierda

El mes de noviembre está ya tan avanzado, que empiezo a preocuparme, pues no sería imposible la formación de un ciclón por estos parajes en las semanas que van a seguir.

Hace un calor seco todavía, a pesar del monzón. Y una luminosidad como pocas veces había vivido hasta ahora. No hay viento. Si consigo mantener la proa a un mismo rumbo durante unas pocas horas cada día, me tengo que dar por satisfecho, pues, sobre todo durante las noches, el barco se balancea lastimosamente, haciendo ruidos con sus velas y quejándose, silenciosamente, como si algo no marchara bien.

Aprovecho las calmas para leer.

Leo.

Este año han nacido en la tierra más hombres que los que podían nacer en un siglo entero en tiempos de Jesucristo.

Este año las grandes potencias han acumulado más armas atómicas de las necesarias para destruir, no la humanidad entera, sino nuestro planeta.

En estos tiempos de ensayos atómicos, de acumulaciones de armas, de consumo exhaustivo e inconsciente de los recursos de la tierra, el hombre se convierte en el ser más improbable que existe. La especie humana está en peligro. Lo dicen alarmados los científicos. A estas alturas sólo debiera contar su supervivencia.

Leo.

Las grandes potencias utilizan los cerebros eléctronicos para dirigir los destinos de los hombres.

Me pregunto cuánto espacio hay en los fríos cerebros para las cosas esenciales de los hombres, para el equilibrio humano, para los sentimientos, o para las necesidades del corazón.

Hay en estas máquinas magníficas una indiferencia hacia el hombre y un desprecio hacia la humanidad que sólo se pueden comparar a las de aquellos que las utilizan o las mandan utilizar.

Ayer pesqué una barracuda que se dejó sacar del agua, obediente. Esa forma tan ignominiosa de claudicar no me gustó. ¡Tal vez estaba enferma! Boca delgada, alargada, de la que sobresalían unos dientes sólidos y afilados. Ojos redondos, absolutamente inexpresivos, y cuerpo plateado, uniformc, brillante. No sé por qué no me gustó su facha. Así es que una vez desprendida del anzuelo, la volví a lanzar a la mar donde, dando un suave coletazo, resucitó instantáneamente.

Una hora más tarde pesqué un pequeño bonito de largas aletas y de cuerpo macizo, negro, con franjas amarillo-plateado.

Cuando como bonito, más que con cualquier otro pescado, tengo la impresión de alimentarme de verdad, de tomar fuerzas. Su carne prieta y roja debe de estar llena de todo aquello que a mí me hace falta.

Han llegado las libélulas. Al principio de una en una. Luego formando un gran bando. Llegaban del Oeste. Las velas se han cubierto y yo he tenido miedo. ¿No será una plaga? Miro hacia el horizonte con el temor de ver acercarse hacia nosotros una nube oscura.

Al atardecer se han ido. Y no ha quedado ninguna.

Por la noche sueño con libélulas, y con tortugas.

(Canal de Mozambique)

Ahora estoy cerca de la isla Joan da Nova.

Pero decir que estoy cerca, bien lo veo, es sólo un decir, pues hace cuatro o cinco días que me muevo lento, a menos de cien millas de esta pequeña tierra, sin jamás acortar verdaderamente las distancias.

¡Joan da Nova! Ese nombre me tienta. Me gusta repetirlo. Sus sílabas dan casi un placer a mis sentidos. Isla tropical y perdida pese a estar a menos de cien millas de la línea de navegación de los barcos que suben y que bajan por el canal de Mozambique.

En mi libro de instrucciones náuticas me indican que hay un fondeadero protegido al Norte. Se me dice además que hay pescado en abundancia, y tortugas, y guano. De qué hacerme soñar. Las tortugas y los peces, ¡claro!... Y el sol tropical. Pero no me pararé, porque pienso en los ciclones, porque ahora, en noviembre, siempre será mejor irme hacia Buena Esperanza, en vez de quedarme por aquí.

Hace cuatro semanas que zarpamos juntos, *Ophélie* y *Mistral.* Yo sigo en la mar, pero estoy seguro que mis amigos están hace tiempo en tierra. No pueden haber hecho tantas tonterías como yo. Según mis apreciaciones, hace dos semanas que debiera de estar en puerto. Y sin embargo, pese a que ya no estoy lejos, veo mi llegada oscura y problemática. Ayer por la mañana, un fuerte viento del N.E. me empujaba rápido hacia mi destino. Al mediodía mi barco se encontraba tan sólo a 80 millas del puerto, y yo, según un cálculo totalmente lógico, me prometía llegar a éste durante el transcurso de la noche, es decir, en menos de doce o trece horas. No pecaba de optimismo. Navegando como navegaba, a unos cinco nudos y con la corriente de las aguas arrastrándome en dirección favorable a una velocidad de cuatro nudos más, llegar a puerto antes del amanecer era la cosa más lógica...

Acaba de amanecer. *Mistral* navega rápido por una mar cortada, rompiente, blanca y peligrosa. Voy saltando inconfortablemente entre los huecos veloces de las olas. El agua corre ruidosa y gris. El día nace, la luz triste del alba me deja adivinar una mar que de todo corazón desearía no ver.

Todavía están encendidas en las proximidades las luces peligrosas y amenazadoras de varios barcos. Y sus siluetas negras, como pesadillas dolorosas, me traen tenaces miedos y congojas.

El puerto en el que ahora debiera estar queda a la popa de *Mistral,* detrás, en nuestra estela de agitados remolinos.

Navegamos en dirección contraria a la del buen puerto, corriendo asustados este nuevo temporal.

Estoy desmoralizado. Esta vez de verdad. Después de las largas calmas del principio, he tenido que remontar constantemente el viento contrario, zigzagueando días y noches en medio de un infernal tráfico de cargueros y petroleros.

Durante los últimos diez días, sólo en dos ocasiones el viento se ha establecido favorable y rápido y me ha permitido acercarme hasta una distancia prometedora del puerto. Pero en las dos ocasiones, sin avisos en el tiempo, ha cambiado hacia el S.W. fuerte, haciéndome deshacer mi camino y obligándome a huir, veloz, en dirección contraria de la que yo necesitaba.

Se me hace larguísimo el tiempo que llevo en esta travesía. No sé qué pensar. No sé cómo mantener la ilusión por el mañana. Paso mis días zarandeado, débil, en una mar que, al parecer, no quiere perdonarme... Pero, ¿perdonarme qué?

La borrasca de esta noche ha sido la peor. Al anochecer de ayer, viendo en mi horizonte inmediato las sombras de cuatro petroleros, llegó la galerna.

El cielo se puso negro por el Sur y en pocos minutos llegó adelantada la noche, trayendo consigo las primeras ráfagas.

Un viento de 50 ó 55 nudos, cuando sopla de golpe en dirección contraria a la ya establecida, un viento que choca contra una corriente de más de cuatro nudos, forma una mar que rompe por todas partes, en desorden, salvaje, ciega. Es peor que una inmensa presa que se ha roto.

Me siento vacío, sin fuerzas, sin resorte, sin absolutamente ninguna ilusión.

Esta última semana no he dormido prácticamente nada. Dos horas a lo sumo cada día.

Paso las noches vigilando en las tinieblas las luces de los barcos.

Y muchas veces tengo que cambiar mi rumbo para no meterme debajo de uno de ellos.

Esos miles y miles de toneladas de monstruos de acero, que se mueven constantemente en la noche, ignoran que yo existo, ni se imaginan que estoy entre ellos, compartiendo tan desigualmente la noche. Sus rádares conectados seguramente a una distancia determinada —8 ó 10 millas— no me pueden detectar, pues a esa distancia yo me encuentro escondido detrás del horizonte.

En alguna ocasión el oficial de cuarto se dirá: «¡Hombre, un falso eco!», y eso será todo.

En caso de una colisión, mi barco se hundirá inmediatamente... y nadie lo sabrá jamás.

Los cargueros que hacen su tráfico normal en la costa este de África, en Madagascar, y en Oriente, suben y bajan el canal de Mozambique.

Los petroleros remontan hacia Persia, vacíos, con sus líneas de flotación rojas, bien altas sobre las olas. Van ligeros, rápidos, despreocupados, los unos detrás de los otros, casi, casi, como los camiones en una carretera.

Cuando vuelven hacia el Sur, sus masas se han reposado, se han hundido y rompen la mar, empujando las olas y levantando blancas masas de agua.

Siguen sus rutas, imperturbables, ajenos a todo. Pero sobre todo ajenos a la mar. Van camino de Buena Esperanza.

Las noches se me hacen largas, demasiado largas, insoportablemente largas.

A veces, después de haberme dormido unos instantes, salgo a escudriñar el horizonte, y durante unos segundos tengo que mantenerme los párpados abiertos con los dedos. Los ojos me duelen y más de una vez no consigo abrirlos cuando quiero.

Tengo como unos ojos de cartón que me rozan, que se me cuartean. Los tengo que mimar cuando quiero servirme de ellos por la noche.

Me pregunto cuántas noches más podré aguantar en estas condiciones.

He encontrado muerto al grillo. Se ha ahogado. Entró demasiada agua durante la galerna de anoche.

Ahora está quieto en la palma de mi mano, con sus antenas flácidas y su pequeño cuerpo sin vida.

Ya no puede cantar. Esta noche tendré silencios, sólo se oirán los ruidos del viento al correr por la oscuridad.

Lo he metido en una caja de cerillas que he envuelto en papel de estaño, y lo he dejado caer al mar, en la estela de mi barco.

Adiós, amigo... Gracias... Hasta nunca.

Mistral se dirige tan pronto en la buena dirección, camino del puerto, como en dirección contraria, rápido, desesperado, huyendo de sus miedos y del temporal de turno.

La cosa me alarma de verdad. ¿Es que exagero cuando los golpes del S.W. empiezan a soplar?... Creo que no. Mi barco sería incapaz de mantenerse contra esas borrascas. Mi único error lo cometí al principio, cuando no me dirigí directamente hacia las costas de África, hace ya casi un mes.

Todo se acumula. Hace una semana que raciono mis víveres, y muy seriamente. En una travesía fácil en la que pudiera dormir y en la que los buenos tiempos me permitieran ahorrar mis energías, la cosa no me inquietaría demasiado. Sé algo de las posibilidades del cuerpo y no ignoro el aguante asombroso de un hombre que ayuna. Pero aquí, sin dormir, mojado siempre, zarandeado por las olas, con los nervios en constante tensión, sé que estoy viviendo de mis reservas hace ya bastantes días.

Como arroz y bebo té... nada más. O poco más.

Sé que con arroz y té no se puede mantener un ritmo de vida como el que estoy llevando.

Me quedan dos pequeñas latas de *foie-gras* que guardo como reserva, caso de que Durban no se me presente bien antes de dos o tres días. Pero no hay en estas «reservas» ninguna solución a mis problemas. Simple ilusión.

De hecho, cada vez tengo que forzarme para tragar mi comida, y mis miserables colaciones de arroz blanco transcurren lentas y bien tristes.

Han pasado dos días más... Dos días más y sigo en pie. No muy fuerte pero extrañamente eufórico. Si estuviera en puerto y viera mi aventura desde lejos, confortablemente, me sentiría admirado de mis propias fuerzas. Pero estoy en la mar, y lo único que se me ocurre es preguntarme hasta cuándo tendré cuerda.

Ahora que estoy sólo a 50 millas de Durban no puedo cometer un error. Voy a apuntar hacia tierra, a unas 15 millas al norte del puerto para que, con la corriente, mañana al amanecer me encuentre en la boca de éste. Claro está que corro el riesgo de que, en el último momento, el viento vuelva a soplar del S.W. y me vuelva a encontrar en las mismas condiciones que hace tres días, o que hace una semana. La verdad es que no se me ocurre otra cosa que hacer. ¡Estoy tan solo!

Al atardecer me siento afuera para que el viento me haga revivir. Procuro no mirar hacia lo lejos, ni hacia el cielo, ni hacia la mar, de miedo a descubrir los síntomas de una nueva galerna.

Creo que esta vez lo tengo, mi puerto. Mal me tendrían que salir las cosas si mañana no he fondeado en sus protegidas aguas.

A las cuatro de la tarde veo algo que no puedo creer. En el horizonte se mueve una cosa blanca, como una vela.

Una vela.

A unas dos millas de distancia navega otro velero. Me pregunto si no será un espejismo, una alucinación. No puede ser verdad.

Otro velero, otros hombres viven los mismos problemas que yo, a poca distancia de mí. No puedo explicármelo, pero esta presencia me produce una gran alegría. No me siento ya solo. Tengo casi ganas de llorar.

¿Quiénes serán? ¿Los conozco?

Sin querer perder mi velocidad, ni dejar de ganar terreno, procuro dejarme alcanzar por ellos.

Media hora antes de la llegada de la noche, los dos barcos están a corta distancia. Puedo ver a dos personas que se mueven en el puente.

No. No conozco el barco. No lo he visto antes en ningún puerto, pero una de las personas que veo haciéndome señas no puede ser más que Wald, mi amigo canadiense. Con esas barbas enormes y rojas, y ese físico tan característico, no puede ser más que él. Antes navegaba en el *Wiking*.

—¡*Hello*, Julio!

Es él, es él...

—¡*Hello*, Wald!

¡Wald! Y con él otro joven rubio con el pelo largo. Y una chica. Y un niño de pocos años.

Navegamos juntos, al alcance de nuestras voces, a 15 ó 20 metros de distancia, mirándonos, admirados, hablando algo, olvidando nuestros respectivos problemas.

—Hace cuatro días que damos vueltas alrededor de Durban sin conseguir entrar. No nos quedan víveres.

—Yo hace una semana que subo y que bajo —respondo.

Risas, aunque no hay de qué reír. Silencios. Nos queremos dar algo de calor los unos a los otros. Yo lo necesito. Ellos seguramente también. Esto es el amor. Es terrible. Es emocionante. Les hablo en voz baja y los miro.

Y navegamos juntos unos diez minutos. Nada más. O muy poco más. La noche está por caer. Imperceptiblemente mis amigos empiezan a separarse y a ganar terreno y a quedarse algo por delante de mí.

Cuando están a unos 80 ó 100 metros, de su silueta difusa, comida ya por la primera oscuridad, me llega, fuerte, un grito que me dice en castellano:

—¡Hasta mañana, marinero de mierda!

Al mediodía, un día después, «marinero de mierda» llega por fin a Durban.

Soy extranjero

—Dis, Julio, tu dors encore?

Una Élodie radiante como un sol hace una silenciosa aparición en la entrada de la cabina. Sus desnudos tres años, vividos a bordo de *Ophélie,* acariciados por los primeros rayos de sol, son algo agradable de ver.

Sin moverme de mi litera, pienso que podría muy bien darme la vuelta y seguir durmiendo, pero me ronda la idea de un vago remordimiento. Pienso que no puedo matar las horas más hermosas del día, ni debo hacer un feo a mi visita. Por ello me levanto.

—Bonjour, ma chérie...

Élodie se instala sin decir nada más. Mirándolo todo con sus ojos claros desde su maravilloso e inaccesible mundo infantil.

Yo preparo mi té y corto unas rebanadas de pan en las que extiendo un poco de manteca y unas cucharadas de una miel olorosa, oscura y muy líquida; la miel del país.

—Julio, *tu aimes le miel?*

—Oui!

—Moi aussi, et j'aime aussi le chocolat.

Y su mirada se pierde detrás de mí, en la estantería, en la que tenía guardada una tableta de chocolate, entera, envuelta en su fino papel de colores.

Mientras comemos, Élodie me cuenta una hermosa historia en la que hay un perro que se ha roto una pata y que la lleva vendada y en la que su papá pesca un pez azul y en la que su mamá le va a comprar unos zapatos nuevos para ir a pasear.

Estoy subyugado.

Un grupo de pequeños barcos se ha instalado en un rincón del puerto. Como quien dice en plena ciudad, pues están a su sombra, a pocos centenares de metros de sus grandes *buildings*. Es como un campamento de gitanos.

A lo largo de dos pequeños pontones de madera reposan unos cuantos veleros los miles y miles de millas que sin muchas prisas han recorrido sus carenas. Es algo hermoso de ver, todos estos barcos, tan variados, tan pequeños algunos, pintados de tan inesperados coloridos. Hay un ambiente que recuerda al circo.

Las amarras resbalan en pendiente dulce, combándose sobre las aguas, cruzándose entre sí, largas las unas, cortas las otras, blancas, azules, rojizas. Las amarras son los únicos lazos que unen a esos veleros y a sus tripulantes a la tierra de los hombres, y a sus necesidades, y a esa ciudad que se levanta justo por encima de sus mástiles.

Las amarras forman dibujos suspendidos sobre la superficie del agua, dibujos complicados, como delicadas telas de araña.

La gente de la ciudad, los atardeceres de buen tiempo, se pasea por el pontón. Se ven pálidos aldeanos de rostros grandes e inexpresivos. Se ven *gentlemen* curiosos y educados. Se ven familias de indios bien morenas y compactas y alborotadoras. Y se ven negros zulúes solitarios, acomplejados y temerosos. Todo el mundo viene a mirar los barcos, a soñar, a impregnarse de vibraciones de aventura, a imaginarse lo que puede ser una vida en libertad.

Los atardeceres del mes de diciembre, en pleno verano austral, cuando el sol se oculta por la tierra adentro, despertándose en la atmósfera una claridad transparente, este bosque de mástiles y sus jarcias finas y bien dibujadas se recortan en el cielo rojizo y limpio, componiéndose en silencio una sinfonía de detalles perfectos y toda una gama de posibilidades de las más sencillas fantasías.

Es bonita esta vida. Y este ambiente extraordinario. Flota en el aire estival una sensación de vacaciones continuas y de libertad sin condiciones.

Me gustan estas charlas en las que se mezclan todas las lenguas y todos los acentos imaginables. Me gustan estas dulces borracheras que se fraguan algunas noches y que duran hasta el amanecer. Me gustan las caras de mis compañeros cuando vuelven por las tardes de sus jornadas de trabajo.

¿Somos hippies?, ¿gitanos?, ¿vagabundos del mar? No sé. No tenemos nombre. Andamos por el mar.

Las veladas son interminables y bien escanciadas.

Están abiertas a todo el mundo y por eso son muchas las personas que vienen de la ciudad. Esta vida les atrae y nada les puede separar de los barcos una vez que han penetrado en este ambiente.

Hay un grupo de mozas que, día tras día, nos vienen a visitar y que, sin que nosotros nos demos cuenta, van instalándose poco a poco entre nosotros, alegrando los mejores momentos de nuestras jornadas.

¡Qué agradable es ser navegante solitario!

Todo el país es racista. Oficialmente. Blancos, mestizos y negros no se pueden ni ver. Legalmente, los fuertes aplastan a los débiles. Y todos se ignoran entre sí. ¿No es decepcionante?

Es difícil encontrar por la calle, en los destellos de alguna mirada, un reflejo fugaz de complicidad y de comprensión. Los hombres son paisaje. Marco donde se trabaja. Cosas animadas que están en el camino.

(África del Sur)

Estoy en una ciudad que no es la mía, y tengo el privilegio de ser extranjero. Vengo de fuera y soy libre. He sido liberado por mis noches de mar. Voy descalzo. Voy atento, mirándolo todo, o ausente, soñando dentro de mí. Mi cabellera es larga y despeinada. Y sonrío a los perros, y a los niños, y a los ancianos, y les quiero sin vergüenzas ni pudor. Amo a las mujeres con mi mirada, y con mi sonrisa. Muchos ratos voy ensimismado, sin nada que me ate a esta vida febril que me rodea. No hay nada inevitable, ni ineludible, ni irreparable. Ni nada que pese sobre mi pasado, ni sobre mi presente, ni sobre mi persona, que me haga sentir vergüenza de mí mismo.

No tengo miedos ancestrales, ni me molestan las costumbres de la sociedad, ni los «qué dirán» de la gente, ni las rutinas asesinas de cada día, ni las perspectivas de una muerte angustiosa y aburrida.

Me cruzo con todo el mundo. Hablo con él. Trabajo. Y veo que lo amo, lo quiero, como amo y quiero a mis estrellas.

¿Está bien así?, ¿no es demasiado abstracto?

Veo las cosas desde fuera, desde mi yo repleto de noches solitarias. Y creo descubrir que a casi toda esta gente le falta valor.

Valor de ser como saben que quieren ser.

Valor de ser sinceros. Y sencillos. Y fuertes.

Valor de construir. Y de devastar. Y de destruir.

Valor de no estar de acuerdo y de decirlo y de protestar y de denunciar.

Coraje de dejar que sus instintos les salgan del cuerpo y les permitan ser buenos o ser malos, bondadosos o sádicos, sin caretas ni tapujos.

Soy un extranjero y me paseo con mis privilegios de ser un vagabundo anónimo.

Yo soy Julio Villar, y con mis veintiocho años estoy bien dentro de mi piel. Y mi hoy, y esta ciudad, sonríen a mi vida y están de acuerdo dentro de la bóveda de todas mis dignidades.

Pienso en mi tierra. Creo que volveré... No sé. Si es que vuelvo a ella, ¿seguiré siendo el extranjero que baja de sus estrellas? ¿Tendré por ello algo más que los demás? ¿O seré como todos, gris, locuaz, miedoso?...

¿Sabré ser yo sin avergonzarme ante la gente?

¿Me pesarán mi infancia y las costumbres de mis abuelos?

¿Me atreveré a decir sí, de acuerdo, y no, no me da la gana?

¿Me atreveré a insultar?

¿Guardaré en mi alma lo que las estrellas me han dicho?

Orca, la ballena asesina

Las ballenas orcas han llegado. Justo unos momentos antes del anochecer. Han llegado hostiles y furiosas, y desde entonces llevo el miedo metido en el cuerpo.

A la primera ni la he visto llegar. Se ha acercado hasta el barco y el vapor de su resoplido ha caído sobre el puente.

Alrededor de mí, ahora, nadan diez o doce, van más rápidas que yo y llevan mi misma ruta. Van hacia el carro de la Osa Mayor.

No son grandes pero tienen una gran corpulencia. Su lomo es negro, y su cara y su vientre blancos. Tienen unas cabezas monstruosas. No puedo apreciar más, pues van muy rápidas, la mar está revuelta, y es la hora de las últimas luces del día.

Cuando ven el casco de mi barco, nadan más veloces, como con rabia y desesperación, con movimientos bruscos, como queriendo atacar. Cuando llegan a un par de metros, se me ponen boca arriba y las veo pasar con sus sombras gigantescas por debajo de la quilla.

A la orca le llaman la ballena asesina porque hunde los barcos pequeños, así, por capricho, y porque ataca a animales de mayor corpulencia que ella misma. Sé de varios yates que se han ido a pique al ser atacados por esta ballena.

Por el momento ninguna se decide a atacar. Tal vez no se atreven. Pero a cada pasada que hacen me parecen más agresivas.

Saco la balsa salvavidas y víveres en abundancia por si me atacan y me hunden. Llevan más de tres horas pasando cerca de *Mistral*. Y empiezo a pensar que éstas de ahora ya no son las mismas que he visto al principio, sino que todas pertenecen a un enorme bando que se dirige hacia otra parte del océano.

Hago con tranquilidad lo que debo hacer, sin sentirme ridículo de mis temores ni de mis preparativos. ¿Quién se podría reír de mí?

Estoy solo, con mis orcas, a más de dos mil millas de la tierra más cercana, y sé que pueden hundir fácilmente mi barco... si se deciden.

Saco latas, de carne, de melocotón, de leche condensada, y las meto en un saco, con un abrelatas colgando de una cuerda. Preparo un par de jerseys y mi saco de dormir. Saco tres bidones de agua dulce y los amarro juntos, sobre el puente.

Me preparo para caso de naufragio. Sé que hago bien. A pesar de mi miedo.

La noche es oscura, muy oscura y larga, muy larga. Sólo se ve la fosforescencia de la mar allá por donde andan estos bichos. Me siento y espero a que la noche se pase. ¿Qué otra cosa puedo hacer?

(Atlántico Sur)

Plafffsss...

El agua está fresca, fresca, fresca. He saltado desde el techo de mi cabina y voy atravesando ese delicioso frescor con mis manos abiertas, con los ojos cerrados, con el cuerpo arqueado y los pies unidos y tensos. La curva de mi cuerpo nace en los dedos de mis pies.

Nado, nado, rápido, rápido, dejándome abrazar por el agua, sin abrir los ojos. Nado rápido, con inconsciencia y alegría. Nadando me voy alejando de mi barco.

Me paro, sacudo el pelo de mi rostro, y me paso la mano por la cara para ver mejor. Miro hacia atrás.

Mi barco es un pequeño velero abandonado, flotando en medio del océano. No hay nadie a bordo. Porque yo no estoy. Yo estoy aquí. Estoy a unos cien metros de él. Y alrededor no hay más que mar.

El barco es blanco, y me parece que su silueta se refleja temblorosa en el cielo. Y se refleja y se agita suavemente en el océano. ¡Qué pequeño es!

Yo soy una cabeza que asoma de la superficie del horizonte. Me puedo ver los hombros, morenos, casi negros, como los de un indio. ¿Qué profundidad tendrá el océano de tinieblas que se abre debajo de mis hombros?

Me vuelvo a *Mistral.* Nado lento hacia él. Mi barco está quieto en el azul, sin velas, bajo el sol. Tengo un pellizco de miedo que me hace volver. ¿Y si mi barco se me fuera y yo me quedara solo, nadando en medio del océano? ¿Y si del fondo remontara algún pez y...?

Un millón de estrellas

El valle es como una inmensa V cuyos brazos apuntan hacia el cielo. Las vertientes de la montaña bajan abruptas, regulares, salvajes, con tonalidades ocres, con rocas color teja quemada, resecas, estériles, sin otra vida aparente que la de los colores en sus juegos continuos con las nubes y con el sol.

El paisaje está tan bien compuesto, con sus laderas iguales, con sus colores uniformes, con sus pequeños elementos mimetizados por el conjunto de las montañas, que, una vez pasada la primera sorpresa, no se le ocurre pensar a uno sino que el valle es una simple fantasía.

La vida duerme, indolente, como en un cuento de hadas.

El sol de mediodía mira implacable, como un señor protector, y con sus rayos lo adormece todo. Estos rayos verticales chocan contra las rocas, resbalan por las pendientes de cascajos, y temblotean como espejismos de oasis sobre las tres calles y los cien o doscientos tejados del escondido pueblo.

Por la tarde, cuando el sol se acerca al horizonte, alejándose de la isla, nace un delicioso frescor, al tiempo que se levanta, suave, una brisa casi imperceptible. Entonces los colores cambian haciéndose más intensos, y la vida se despierta, justo un poco antes de la llegada de la noche.

El valle, que está orientado de Norte a Sur, es por la noche como un enorme callejón al que asoman curiosas las estrellas: la Cruz del Sur al fondo, encima de las montañas, y la Osa Mayor que asoma algunos momentos por el Norte, pasando muy baja y enorme, pegada al horizonte del océano Atlántico.

Jamestown está al fondo de este valle, posada y reposada allá donde la estrechez de las laderas se lo permiten.

Desde el fondeadero donde está *Mistral* no se la puede ver, y no sabiendo que está allá, tal vez ni se sospecharía su existencia. Las montañas que la encuadran suben, verticales, hacia lo alto, y en lo más alto de una cresta se descubre una fortaleza de un color que es el mismo que aquel de la tierra que lo rodea.

Delante de mí, detrás de una playa de cascajo que ruge día y noche bajo la resaca, se levanta una pequeña muralla que une en su parte baja las dos montañas que forman el valle. Detrás de ella se puede ver la mancha verde oscura de tres o cuatro árboles y la torre aguda y desgraciada de una iglesia. Eso es todo, ningún otro signo, ni ningún otro detalle puede delatar la existencia de esta pequeña ciudad. Ni tejados, ni grandes edificios, ni chimeneas, ni nada de nada.

Jamestown es el escondido corazón de su rojo, reseco y encajonado valle.

La población tiene dos calles importantes que, bajando de la montaña, corren hacia el mar y que se unen en una sola a mitad del camino; ésta es la calle principal. Esta calle es amplia, abierta, con casas que respiran holgura y bienestar. A estas casas se sube por simpáticas escaleras que nacen en medio de la corta acera, allá donde la hay; estas casas se abren a la calle por unas amplias ventanas en las que, si nos atrevemos a asomarnos, veremos pinturas antiguas encuadradas de dorado, altos relojes de péndulo y macizas mesas de teca o de caoba.

Los escalones de algunas casas en desnivel, las aceras allá donde son elevadas y bien protegidas, los muretes que rodean los jardines de algunas viviendas en la parte alta de la población, son una tentación para sentarse y dejar, sin más, que el tiempo se deslice.

Los hay que, bien instalados, pasan tardes enteras, tardes y más tardes, saboreando indolentes el murmullo de los días.

Me gustan esas tiendas de comestibles. En los escaparates y en sus repletos interiores se ve de todo; galletas, cazuelas, sujetadores, vestidos, lamparitas de cristal pintado, huevos, cebollas, tarros de mermelada, muestras de manteles, trajes de baño y herramientas. Me pregunto qué es lo que les permite vivir, puesto que me parece que la población y los recursos de la isla no pueden dar para hacer negocios.

(Santa Elena)

Hay incontables iglesias. Tantas, quizá, como tiendas de comestibles. Son iglesias pequeñas, bien urbanas, bien en consonancia con la arquitectura miniatura e infantil del pueblo. Todas las religiones de Occidente están representadas. Adventista, anglicana, Séptimo Día, católica, Testigos de Jehová, mormones, Armada del Saludo, y algunas más que no logro recordar, predican el amor entre los hombres.

Los modestos templos o capillas se diseminan a un lado y al otro de las calles, vigilantes, silenciosos, y, al parecer, sin grandes competencias. Los pastores, los sacerdotes y demás ministros se distribuyen los parroquianos con celo pero sin demasiadas ambiciones ni luchas aparentes.

A la misa de la iglesia católica, los domingos por la mañana, rara vez asisten más de ocho o diez fieles.

A los cultos vespertinos, sobre todo a aquellos de la iglesia de Inglaterra, asiste, abundante, la rancia sociedad europea. Son unos cultos más sociales que permiten los encuentros y las charlas a la caída de la tarde. Son unos cultos de los que después surgen reuniones y *drinks* en las casas de los unos y de los otros.

Los nativos de color prefieren las manifestaciones pacíficas, teatrales y musicales de la Armada del Saludo o la austeridad severa y espiritual de algunos de los bares. Porque hay también tres bares e incluso una oscura y ruidosa discoteca.

La isla es un milagro. A las zonas escarpadas y rocosas de sus bordes suceden unos pastos verdes, y numerosos bosques que la cubren en sus alturas. Graham y yo pasamos días enteros paseándonos hasta los lugares más lejanos de esta reducida orografía.

Cuando el sol se esconde y la temperatura se vuelve más agradable, Jamestown revive, despierta, se despereza. Los unos han dejado sus lentos trabajos, los otros se han levantado de sus siestas, y los demás simplemente cambian el ritmo de sus temperamentos y de sus perezas.

Esta gente es noctámbula; sale a la calle a pasear, a respirar, en cuanto la noche llega. Se sienten mejor bajo el frescor de las estrellas que bajo la luz caliente y húmeda del sol.

Se oyen pasos, voces y más voces, que pasean por la oscuridad.

—*Good afternoon.*

—*Good afternoon.*

—*Good night.*

—*Good night.*

Los grupos, las familias, se van andando hasta el muelle para ver a los pescadores de caña y para ver, cuando hay yates, el desembarco de los navegantes.

Conozco a todo el mundo y todo el mundo me conoce. Unas veces me llaman *Spanish boy* y otras Julio. En sus voces descubro el calor de unos sentimientos sencillos, y en muchas de ellas un instinto tierno, hambriento, sensual.

Las chicas son alegres, sin secretos ni misterios, buenas y nobles luchadoras entre ellas. Hambrientas de amor y de ternura, sensibles. Con extrañas lógicas de mujer.

En esta reducida isla alejada por miles de millas de toda tierra habitada, hay muy pocos hombres, y ésta es una cosa poco tolerable en un clima tropical.

«*Hello sweet*», «*darling*», «*love*», acompañado de una fugaz caricia, de una mirada insistente, reteniendo un instante de más la mano entre la mano, son experiencias de cada momento del día. Son cosas que se oyen y que se sorprenden, tanto en la calle como en la entrada de un comercio, como en la puerta de correos, ese correos que sólo envía las cartas una vez al mes, cuando llega el barco de Inglaterra.

Hay chicas, muchas chicas, que surgen por todas partes, bonitas, morenas, efusivas, ruidosas, silenciosas, listas en todo momento a sonreír y, si es posible, a conceder su amor.

Jenny, Dorothy, Jaliene, Patsy, Doc, Mary, Josy, y más, muchas más. Todas las que uno se pueda imaginar.

Las noches pasan, y no se acaban cuando los tres bares han cerrado sus puertas, sino cuando la gente quiere, cosa que nunca ocurre antes de que las estrellas hayan recorrido un gran trecho de su camino.

La oscuridad no guarda sus secretos mucho tiempo. Por mucho que se quiera, la imaginación y las palabras inconscientes descubren lo escondido, pero por esto nadie se acompleja ni se molesta. Todos ríen. Aquí no se frustran orgullos ni vanidades. Aquí sólo pueden sufrir los instintos.

Santa Elena vive de noche, respira de noche, ama de noche, y, si puede, de día.

Lejos del mundo, lejos de las ciudades, lejos de todo, Santa Elena vive sus verdades bajo el parpadeo de un millón de estrellas.

La playa es larga... y llueve

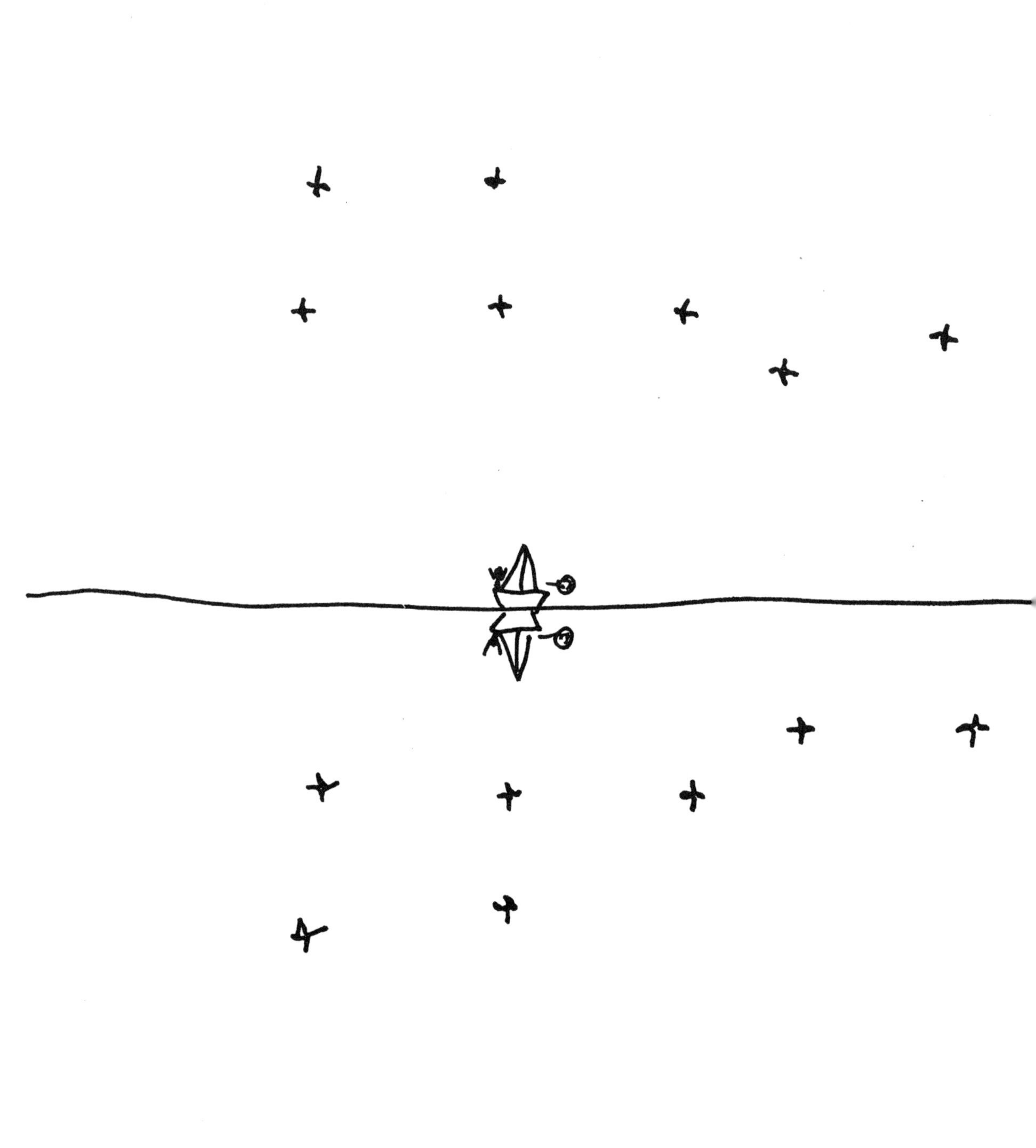

Nubes de pequeños calamares salen del mar, perseguidos por enormes atunes. Van dando grandes vuelos, todos juntos. No sé cómo lo hacen, pero es impresionante. Se oye un silbido larguísimo mientras están en el aire.

Una parte de un grupo ha chocado contra mis velas y han caído en cubierta muchos de ellos.

Recojo una docena. Serán mi cena de esta noche.

Mi barco navega con todas sus plumas fuera. Va como ronroneando de placer.

Mar lisa y sol.
Alegría.
Temblores de tristezas.

He bebido *whisky* con toda esa gente tan pesada que me quería comprar. Hemos bebido mucho. No sé cuánto.

Había uno que tenía una corbata enorme, parecía un *gangster*. Era el director de un banco.

Y los otros... el de los ojos azules, y el morenito pequeño.

Hemos bebido *whisky* toda la tarde. Y yo me he reído porque nada me ha afectado, ni el dinero.

He dicho no.

No.

Y estoy solo. Pero solo como Dios.

He dicho no.

Y me río porque estoy borracho y digo no al dinero.

Y me río porque el dinero me deja indiferente.

No quiero esa corbata imbécil y ridícula.

Tal vez soy un pobre hombre, pero todas las estrellas son mías. Y hago el amor con ellas. Y hago el amor con el mar.

Hago el amor con el mar tantas veces que al final las estrellas se ríen de mí. Y eso me gusta.

Hemos bebido hasta las tantas, esos señores encorbatados y yo, el chico majo, el que ha cruzado el Atlántico *sosinho*.

Me han ofrecido negocios y contrabando. Me han suplicado. Me han empujado. Me han prometido. Me han dicho... ¿qué más quieres?

¡Whisky!

Me siento en el muelle con los pies colgando en la noche y miro la silueta viva de *Mistral*.

Je t'aime, Mistral, *parce que tu es mon univers*.

Te veo desde arriba, de algo lejos, posado en las aguas negras, nocturnas, con tu cabina que duerme en la cubierta, con tu mástil mágico, con tu manga ancha, como las caderas de una mujer. Te veo sereno por encima de todo, con tu largo camino detrás de ti.

(Recife)

Duermo en una hamaca roja que se arquea sobre la habitación suspendida de sus dos ángulos. Vivimos cerca de la playa. Desde la puerta se oyen los ruidos de las olas al romper en la arena.

Muchas mañanas vamos a pescar en una jangada. La jangada es una balsa con vela. Mientras navegamos, la balsa se hunde entre la espuma de las olas y, aunque vamos sentados altos, en unos travesaños de madera, nuestros pies y nuestros muslos se mojan constantemente.

Vamos echando agua a la vela, para empaparla bien. Así cerramos los poros de la tela y corremos mucho más.

Fondeamos a varias millas de distancia, lejos de la tierra. Entre las olas.

Allá pescamos.

(Parayba)

Me querían regalar un macaco, para que me hiciera compañía en mis travesías. Es un mono pequeño y muy enredón. Tiene un rabo larguísimo. Se pasa el día gritando y rompiéndolo todo.

Es simpático. No sé si es bonito o feo, pero me hace reír.

Lo he pensado bastante y, al final, no he querido quedarme con él. Tengo miedo que me destroce mis libros y que terminemos mal.

Me digo como consuelo que un mono tiene que vivir en sus árboles y no en la prisión de un barquito sobre el mar.

La playa es larga... y hace sol.
La playa es larga... y llueve.
Hay sonrisas que me emocionan.

Planeta olvidado

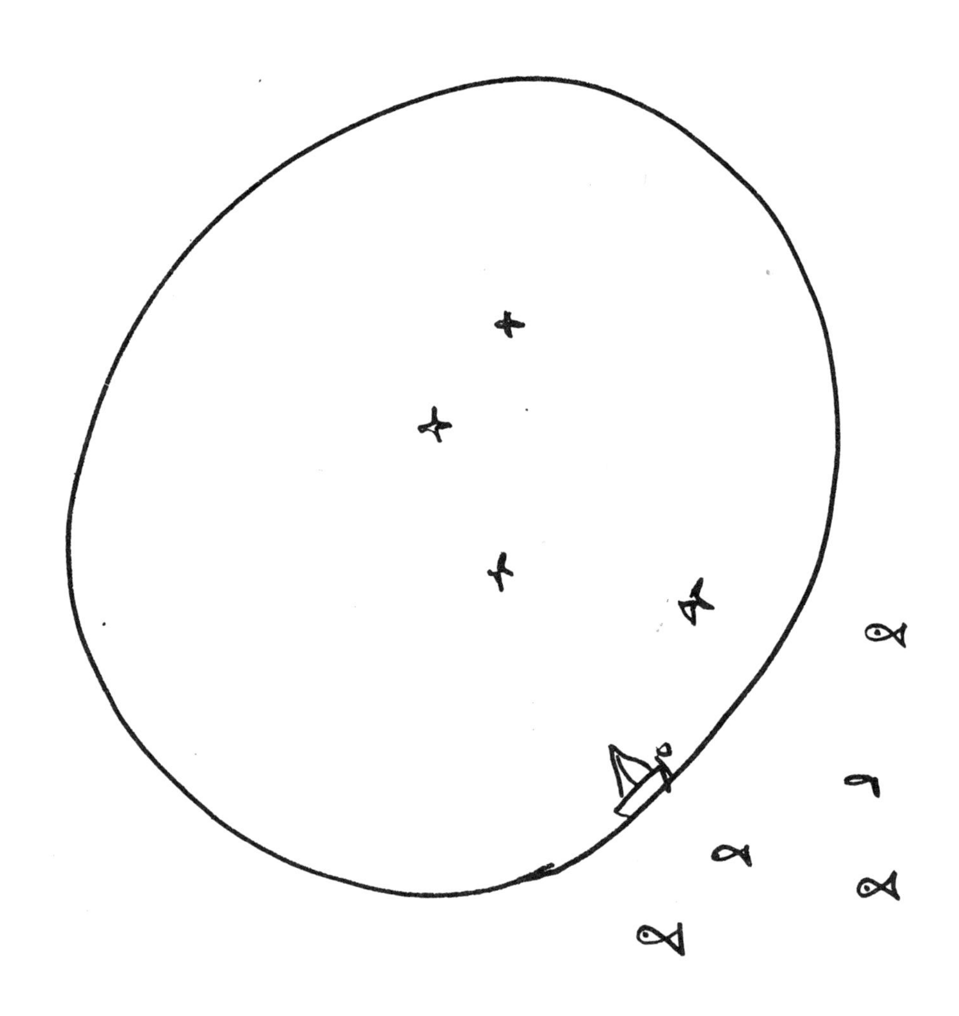

Navego a través de un túnel de días negros, apáticos y húmedos que llegan y se van, sin luz, sin soles, sin estrellas y sin luna. Días grises y sin otros acontecimientos que alguna que otra escampada taciturna, furtiva, y glauca, entre chaparrón y chaparrón.

Estoy en las calmas chichas y llueve desde hace ocho días.

La atmósfera está cargada de unas sensaciones tropicales, húmedas y prehistóricas. Hay un ambiente desamparado de diluvio y una sensación angosta de principio y fin de un mundo.

Pienso que si estuviese en tierra, olería a moho y a champiñones, y a madera esponjosa y podrida, y a verdes que rezuman quietudes irremediables. Pero aquí, en este destierro planetario, no huele a nada, sino a humedad, a universo mojado.

Cuando en las calmas llueve, llueve sin viento, el agua tiene una consistencia maciza, y reina en el ambiente una sensación de húmeda opresión. Sin hacer frío, hace fresco. A veces descubro en mi cuerpo y en mi alma algo así como un profundo estremecimiento.

Mistral llora por sus velas y se queja cuando los movimientos de la mar lo agitan, emitiendo quejidos con sus poleas y con sus drizas chorreantes.

En la cabina, pese a todo lo que yo hago porque no sea así, la humedad gana, la oscuridad se va fijando incluso durante las horas del día.

A veces, cuando a la altura del horizonte aparece una franja blanca, casi lívida y sucia, y las nubes la desbordan como el flequillo enmarañado de una bruja, yo, asomándome por un resquicio de mi cabina, a caballo entre dos mundos diferentes, miro hacia fuera, buscando unos signos de esperanza; tal vez una paloma que, con un ramo de olivo, venga a posarse en cubierta.

Voy lento, alternando carreras sofocadas y peligrosas, provocadas por chubascos con unas calmas irreales que duran horas y horas cada día.

El viento, cuando quiere soplar, lo hace de cualquier dirección.

Tengo que vigilar sin descanso, para mantenerme siempre en la mejor dirección, reducir velas a veces, largar rizos otras, corregir un rumbo en medio de la lluvia, y todo esto, muchas veces durante las horas del día o de la noche. Tengo que vencer mi pereza y mi apatía para salir afuera y ocuparme del buen camino. Es la única forma de salir de las calmas y de las lluvias.

He puesto a la entrada una tela en forma de tejado que impide el paso del agua, pero que me permite, sin embargo, tener abierta una rendija por la que penetra el aire nuevo.

La tela es roja y tamiza la luz, dando al interior una extraña penumbra ilusoriamente luminosa, y hasta cálida.

El infiernillo en estos momentos adquiere verdadera importancia de hogar y lo enciendo con frecuencia. Su llama es azul unas veces y verde-amarillo otras. Su extraño silbido adquiere los tonos de una verdadera canción.

Hago hervir el agua y preparo el té. Un té que quema y humea en la consistente humedad de la cabina. Un té que hace revivir mis entrañas.

Llueve. Llueve. Y porque no sé qué día va a parar, procuro dormir durante el día, para recuperar los sueños perdidos en las vigilias nocturnas. De tanto llover, de tanto estar bajo la lluvia, empiezo a darme cuenta de que mi cuerpo se adapta a este ambiente y que cada vez sufre menos.

Las nubes van tomando un color distinto, más claro. Hay en sus jirones un algo de luz; como una vida que nace.

La mar pasa del gris viejo y relavado de estas últimas semanas a un limpio azul, mal definido aún, pero transparente y prometedor.

Parece que en el vacío de la atmósfera hayan caído unas gotas de añil que se van diluyendo, atenuando la suciedad de un ambiente denso para darle una tonalidad azulada y diáfana.

El viento ha vuelto. Viene del N.E. Fresquillo, soplando constantemente y con nobleza. Éste es para mí un viento emocionante. Es el alisio. El sol va a volver.

Mañana ha de ser un día soleado.

Estoy borracho de mar, y de viento, y mi alma está llena de azul.

El barco navega sin descanso, con sus velas llenas de reflejos de luz, remontando las olas, hora tras hora, día tras día, semana tras semana, como un potro testarudo e incansable, hijo de un dios, que trota por el mar.

Yo soy su jinete, y me embriago del aire que respiran los dioses y me embriago de viejas libertades hoy en día asesinadas.

¡El tiempo no existe!

Por las noches, fuera, mirando al cielo estrellado, grito:

¡ A g r u x !

¡ S p i c a !

¡ A l p h e r a t z !

Quince días llevo remontando el viento.

A bordo todo está inclinado, tumbado. Hay bruscas sacudidas, imprevisibles, cada dos por tres.

Las cortinas, goteando humedades, cuelgan en el vacío dando la verdadera vertical. El infiernillo, en una posición extrañísima, señala la escora del barco.

Si no fuera por estos detalles a los que ya me he acostumbrado, nada me diría con suficiente claridad que el todo se mueve, salta, se tumba, y es agitado como una inmensa coctelera.

Yo me he acostumbrado. Me muevo de lado. Me apoyo sólo allá donde es preciso. Duermo en un hueco, bien empotrado y sostenido por esta tenaz y caprichosa inercia.

Para salir afuera, para ir hasta la veleta del timón, tengo medidos todos mis movimientos. Los realizo inconscientemente, airosamente, con cualquier mar y en cualquier momento de la noche.

Si un día el viento me sopla por otro lado, mi mundo cambiará. Las costumbres que he ido adquiriendo en este navegar tumbado serán volteadas, y hasta los puntos de apoyo que hoy me sirven en mis movimientos de cada día se reirán de mí.

3 de marzo, 4 de marzo, 5 de marzo... 10 de abril, 11 de abril, son días que en mi carta, en mi inmensa carta, he ido representando cada uno con una pequeña cruz.

1 de junio, 12 de junio, 13 de junio, que es hoy.

Hoy.

Tal vez, todo esto, estas pequeñas cruces, estos trazos, estas extrañas perspectivas, no son más que un sueño del que algún día habré de despertar. He tenido tantos sueños o medio sueños parecidos...

El tiempo se mueve al ralentí, con unas magnitudes magníficas, como si los minutos duraran horas y las semanas años.

Entre el tic y el tac de un segundo, se pueden hacer muchísimas cosas, o bien se puede no hacer absolutamente nada.

Voy subiendo por un inmenso mapamundi, que está ahí, suspendido en algún lugar del vacío.

Me parece ver la perspectiva de todo aquello que sé que está en algún lugar detrás del horizonte. Inmensas, África y las Américas, desparramadas por la tierra y delimitando minuciosamente los bordes de mi océano, encuadran mi caminar.

Hacia el Este, mirando hacia allá por donde cada día veo salir el sol, adivino África. Sólo está a mil kilómetros. La siento, extendida, misteriosa, llena de poesía y de dolor. La veo claramente, y los nombres que me saltan de la carta toman formas, y colores, que me traen olores exóticos y exaltaciones románticas.

Siento a África, con su gran golfo de Guinea protegiéndola por el Norte de los falsos mitos que quieren bajar de Europa.

Siento el deslizarse de ríos que guardan en sus cauces viejas leyendas.

Y el desierto, tan grande como mi mar, pero seco, reseco, ocre, amarillo, con un cielo más grande que todos los cielos, por donde pasan los astros que calientan las dunas. Esas dunas que son el último refugio de Dios.

Y a lo lejos, muy a lo lejos, columbro como un algo subconsciente los conos inmensos del Kilimandjaro, y del Kenia...

Y si estoy tranquilo porque el hombre no puede destruir el Kilimandjaro, ni cambiar de lugar el Níger, ni tachar de mi mapa el golfo de Guinea, estoy inquieto porque puede destruir sistemáticamente muchas de las bellezas y de las esencias de estos continentes. Porque sé que puede destruir la poesía, y acabar con los últimos romanticismos del desierto, así, porque sí, porque en su vanidosa mediocridad se ha lanzado a arrancar rabiosamente las últimas raíces de la vida.

Estoy solo, abrumado y feliz, en medio de unas perspectivas que me asustan y me reconfortan a la vez.

Mi sueño se va desarrollando sin sobresaltos, dulcemente, con sobrecogimientos infantiles, con brisas irreales, con sonrisas de Kilimandjaro, y con dolores y sollozos de un planeta asesinado.

Navego hacia Europa. La proa de mi barco apunta, inconsciente, hacia algo que se me antoja fatal.

Después de varios años de moverme en libertad, viviendo sin forzar el ritmo de los días, cara a cara con la luz, tomándome todo el tiempo necesario para mirar a la naturaleza y para estar conmigo mismo..., me vuelvo a Europa, la superpoblada, la llena de falsos dioses y de vertiginosas ambiciones. Se me ocurre preguntarme qué es lo que voy a encontrar allá, cómo voy a poder ser fiel a mis ideas, sin dejarme vencer ni convertirme en un personaje derrotado por la gran comedia que son nuestros tiempos.

Creo que tengo miedo y rumio mi miedo y mis inquietudes, tratando de encontrarlos menos amargos. Por primera vez después de varios años vagabundos, el mañana me ocupa, me preocupa, me hace pensar seriamente.

Tal vez, en el fondo, no he sido durante todo este tiempo sino un vagabundo inconsciente con el que la vida se ha portado bien. Me surgen de golpe tantas dudas...

Desde mi mar veo un monstruo escondido. Lo veo asentado con la importancia de un dios que el mismo hombre ha levantado y del que luego se ha convertido en esclavo y servidor.

Me entra temor de moverme de nuevo entre esa sociedad de almas uniformes, de ambiciones conducidas, de mecanización y gregarismo.

Y hablo con mi barco, mi compañero de fatigas, tratando de convencerle, pidiéndole que me ayude a tomar alguna decisión. Tal vez la de volvernos atrás ahora que aún estamos a tiempo.

Me digo que un vagabundo que vuelve a la civilización con sus ojos cargados por el brillo de miles de noches pasadas bajo las estrellas, y salta dentro de esa sociedad, se ha de sentir perdido, desfasado, perplejo.

Después de haber vivido en libertad no se ven las cosas de la misma forma ni con los mismos ojos.

Cuando se ha vivido solo, en un mundo donde el hombre mostraba su cara gentil; cuando se han pasado meses y meses en la mar; cuando se han descubierto verdades en los bosques, y en las rocas, y en los gestos, y en las miradas, y cuando después se vuelve hacia los sistemas del hombre actual, uno tiene miedo, pues esas noticias monstruosas que le han llegado de vez en cuando, en el transcurso de su viaje, le han de empezar a afectar directamente.

Y hablo con mi barco como si éste fuera mi conciencia.

Y a veces este barco llega a darme contestaciones tan inteligentes que me desarman o me hacen sonreír.

La verdad es que debiera de tener vergüenza de mí mismo. Después de cuatro años de vivir el presente, siempre día a día, y a veces hora a hora, después de creer que había aprendido algo sobre mí mismo, resulta que, cada dos por tres, siento que me ahogo en el vaso de agua que son mis pensamientos.

Mistral, Mistral, me tienes que explicar muchas cosas antes de que terminemos nuestro viaje.

Durante la noche, entre las dos y las cuatro de la madrugada, moviéndose en las tinieblas, *Mistral* ha pasado por algún lugar de aquel camino que recorrió hace ya más de cuatro años, cuando cruzó por primera vez el Atlántico. Ya no se puede echar marcha atrás, ni intentar revivir tiempos pasados. Esta noche he terminado la vuelta al mundo.

Ya no existe para mí vuelta al mundo, y por ello siento una sutil tristeza que no permite que mis ideas se aclaren.

El navegar es incómodo. *Mistral* va escorado, muy escorado, y de su proa nacen sin descanso fantásticas explosiones de espuma blanca que envuelven toda su figura en movimiento, en una lluvia de perlas que es arrastrada con violencia por el viento. Todo el puente está mojado y el agua canta cuando rueda atropelladamente por cubierta.

Me gustaría ver mi barco desde fuera, desde lejos, perdido en esta mar fuerte que tan machacona le viene contra la proa. Me gustaría verlo con su palo, dibujando trazos nerviosos y repetidos dentro del viento.

(Atlántico. Long., 32° 15 W.; Lat., 16° 55 N.)

Los ruidos de mi barco forman parte de mis días y de mis noches. Me son más que familiares. Los llevo metidos en mi cuerpo y en mi alma. Como llevo metidos en mi alma el ronroneo del tiempo que corre, el flujo y reflujo de mis recuerdos o las vibraciones de mis pensamientos.

Mis días son pasar de olas, y canción del viento, y resbalar de aguas.

Pero nada de esto es ruido. Todo esto es vida. Mi vida. Mi barco que remonta la mar con una poesía de fondo y con un repetirse de ondas y de espumas.

Mi vida es un repetirse de días y de noches, sin principio ni fin. Los días no me asustan. Procuro vivirlos. Sentirlos. Escucharlos. Los voy llenando de pequeñas cosas muy importantes. Chocar de olas, nostalgias, silbar del viento, y temblores de drizas contra el mástil.

Los ruidos de mi barco son como los monólogos de los árboles al dejarse abrazar por el viento.

Al remontar el alisio, los ruidos y los colores tienen los ecos de la esperanza, y las sonrisas de una vida llena de sentidos.

El casco de mi barco choca contra las olas y resbala por sus pendientes. Mi mástil y mis velas avanzan por el viento, con éste soplándoles por el través. Pero sin estridencias; como los latidos de mi corazón. Si me pongo a escuchar a ambos, me dirán las mismas cosas. No hay ruidos en el tiempo. Ni estridencias en la mitad del Atlántico. Sólo hay eternidad, ritmo cardíaco, balada de mar.

Con este silencio, yo siento la vida, y me gusta este silencio. Y no me da miedo. Es tan intenso como la vida misma, y como la muerte, y me hace pensar en esa muerte con cariño y con ternura.

El silencio se confunde con el tiempo. Y el tiempo, el silencio, la vida, la muerte, son verdades redondas.

Durante semanas no he oído nada. Sólo si pongo el dedo en mis muñecas sentiré la marcha de mi corazón. O si me detengo y presto una especial atención sentiré el resbalar de mi barco que remonta el Atlántico.

En semanas y semanas no he oído más que esto: dos pájaros tropicales que silbaban, un grupo de cachalotes que se hablaban entre sí, y un carguero que dejaba escapar el apagado sonido de sus máquinas.

Me gusta este silencio tan prolongado. Estos pocos sonidos espaciados por semanas y semanas entre sí me lo valoran. Si volviera ahora, de golpe, a una ciudad, me volvería seguramente loco al oír los ruidos, el trepidar de las máquinas y las jaurías de motores, las mil voces y avisos, y los gritos y las carreras y los insultos y los hablares sin sentido.

Un pájaro negro con cola de tijera ha pasado una noche en cubierta. Le he sacado algo de comer. Unos pedazos de galleta troceada y un plato con un fondo de agua. Pero no ha tocado nada.

He tenido miedo de insistir, pues temía que se echara a volar y no volviera a hacerme compañía.

Por la mañana sigue conmigo. Quieto. Silencioso. Con mirada temerosa.

La tarde es larga. Y bonita. Y extraña. El pájaro se ha ido.

El alisio ha quedado atrás. Ahora son las calmas; con luna.

Son lisas, enormes, en una mar con reflejos maravillosos, con un campo de visión al parecer más amplio que el normal. Pero sin una línea de horizonte que se pueda seguir con la vista, ya que las aguas se confunden con el cielo como en un espejo desigual.

Los reflejos se mueven sin brusquedades, con la velocidad pausada de un respiro, o de un latido. A veces son como ojos de inmensos monstruos marinos, otras como pieles plateadas de descomunales animales de otros tiempos.

El sol, solitario, sigue su camino. Dueño a la vez de vidas misteriosas y lejanas.

Dios coqueto que se mira constantemente en su espejo circular, jugando a formar reflejos fugaces, dando colores a pequeñas nubecillas, sonriendo a su universo, satisfecho de sí.

Emociones que duran desde el amanecer hasta que el día se va, empujado suavemente, con alegre respeto, por las estrellas y por esa gran luna que se ha vestido estos días con sus trajes más brillantes y luminosos. Emociones que duran más que todo esto, mucho más, hasta mientras se duerme. Si se consigue dormir.

Mistral está suspendido entre esos reflejos como una silueta inmóvil recortada en el agua, con sus velas sobre el puente, abiertas, secas y ligeras. Con su puente reseco, cálido, quieto, crisol de todas las luces, de todos los planetas.

El barco está rodeado de una luz que forma un halo festivo, caprichoso, ingenuamente divino.

La luz viene, se va, los colores se visten, como en un interminable baile de disfraces, y todo está quieto, quieto, quieto, y en silencio absoluto. Un silencio sólido, tangible, que obstruye los oídos, ligero y pesado, detenido en la atmósfera, y ocupando tanto espacio como el aire con el que se confunde.

Dios, silencio, quieto, quieto, quieto...

A veces, uno de esos reflejos eleva a *Mistral,* moviéndolo suavemente, y entonces se oye como una nota perdida, el canto de una driza sobre el mástil. Una nota que desaparece, se pierde, diluida en algún tono de luz o llevada por algún imperceptible temblor de calor, borrándose luego hasta su recuerdo.

La temperatura es agradable, como se debe en un sueño feliz, justo la que permite a mi cuerpo sentir todo lo bueno, sin sentir nada. Temperatura buena para dormir, buena para amanecer, buena para nadar. Perfecta para mirar por debajo de un rayo de sol algún suspiro cósmico mientras se siente dentro del cuerpo cada latido del corazón.

He quedado instalado en esta quieta sucesión de calmas y reflejos, de soles y de luna, de dioses masculinos y de diosas femeninas.

No siento en mí ningún deseo de escapar de este universo que, al parecer, no me conduce a ninguna parte.

Los días no me hacen avanzar, y cada amanecer me encuentra posado en las mismas aguas que la víspera.

Yo, yo, yo.
Eternidad, eternidad.
Sol masculino.
Diosas femeninas.
Nadar, nadar.
Dios.

Un grupo de cachalotes pasó nadando lento, cerca de mí. Había un montón de ellos, jugaban sin prisas, al parecer absolutamente felices.

Eran grandes, negros, y evolucionaban con unos movimientos acompasados y precisos pese a sus inmensas corpulencias.

Oí su respirar satisfecho durante tiempo y tiempo, pues tardaron horas en recorrer las cortas millas de mis horizontes.

¡Qué envidia! ¡Qué envidia me dan los seres incorruptiblemente felices!

No me moví del puente durante mucho tiempo, en pie, bajo el sol, mirando entre los reflejos de la luz sus lomos oscuros y sus colas que a veces quedaban largos instantes fuera de las aguas.

No me podía mover porque estaba hechizado oyendo sus resoplidos como si éstos fueran voces que llevan en sí algún mensaje de paz. Voces que se cuentan las unas a las otras historias y leyendas de un planeta olvidado y abandonado.

No me vieron, estoy seguro que no, aunque pasaron muy cerca, y así fue mejor, pues no pudieron sentirse observados y se mostraron ante mí tal como son, tal como son desde el principio de la tierra.

Tengo dos peces pilotos pequeños, blancoazulados, con listas negras, que, durante las calmas, se pasean bajo la sombra del barco, mordisqueando los pequeños percebes que han crecido por el casco, o lanzándose fugazmente a distancia para atrapar algún pulgón de agua, o alguna presa tan pequeña que yo no puedo ver.

Antes, cuando navegaba, estos peces pilotos me escoltaban sin dificultades durante días y días, colocándose en la proa cuando íbamos demasiado rápidos, y dejándose empujar por esa pequeña ola quieta que precede a un velero.

Hay algunas medusas que flotan a medias aguas, fundidas en las neblinas de profundidad.

Hay una vida increíble, perdida en las entrañas azuladas del mar.

En el cielo, en las aguas, en el aire, en el silencio, no hay ningún signo que me indique que las calmas se van a terminar, que mi sueño vaya a tomar fin, dejando paso al viento.

Los reflejos del anochecer no los puedo contar. Soy un elegido, al que se ha querido enseñar un algo maravilloso.

Tengo miedo del viento que traerá el movimiento y unirá el pasado con el futuro. Temo el momento en que empezará a soplar. Uno olvida demasiado pronto...

Al atardecer, en el cielo se diluyen los colores de un arco iris... En la mar también, y todo es mate y brillante. Brillante y mate.

Calmas, ¡quedaos!

Do you remember, Windy?
Te souviens-tu, Françoise?
¿Sabéis que ahora estoy solo en el mar?

Estoy solo y os sonrío. No sé si eso basta, pero... me he ido tan lejos... y es tan difícil volver atrás...,

Iaorana, Tepaeru.
Iaorana.
Iaorana.
Iaorana.

¡Petrel! ¡Petrel!... ¡Eh, petrel!

El sol se va, redondo, por la ranura que hay entre el cielo y la mar. Hubiese querido llamar a alguien para que también lo viera. Pero junto a mí no había ningún alguien. Lo único que he podido hacer ha sido mirarlo, y mirarlo, y mirarlo, mientras se iba, para impregnarme de toda su belleza. Respirar más fuerte y más profundamente para calmar la emoción.

Las estrellas de aquí me parecen más alejadas del mar. Yo creía que esas estrellas estaban más desparramadas, que formaban constelaciones más grandes, mejor dibujadas.

Yo creía que estaban más cerca de los hombres.

En los cuarenta días que llevo en la mar, sólo he visto cinco buques. Eso me hace pensar.

Me dejo ganar por un divertido optimismo. ¿Será que el hombre, en una realidad lejana, ha decidido diezmar sus flotas de petroleros por la simple razón de que ha descubierto que no hacen falta tantas máquinas para ser feliz?

Me imagino llegando con mi barco cansado y un alma nueva después de estos años de ausencia... Un grupo de amigos me espera en el muelle tranquilo de un puerto en el que no hay ni ruidos ni prisas. Están sonrientes. Hay una ciudad pequeña en la que todo el mundo marcha a pie o en bicicleta, circulando alegremente.

No tengo nada. Soy libre.

Mediados de junio ha sido fresco. Nadie lo entiende en Europa y todos se tiran de los pelos.

¡Crisis monetaria!

Me quedan dos libras esterlinas, cinco dólares americanos y uno australiano.

La *Fantasía para un gentilhombre*, de Rodrigo, me hace soñar. Estoy al oeste de la península Ibérica.

Hoy he soñado un recuerdo. Pero se ha borrado ya. Ya no me acuerdo de ese sueño ni de ese recuerdo.

A veces me llegan recuerdos, como bocanadas cálidas y alegres de una vida infantil. Es el tiempo pasado, es el tiempo perdido, es el niño que fui hace muchas, muchas profundidades, que vuelve a decirme:

¡Chaval! ¡Chaval!

¿Otros recuerdos? ¿Por qué no?: las galletas «María» redondas como las ilusiones, aquel chocolate cuadrado, hecho con arena crujiente, y una calle gris, risueña, garabateada con rayas de tiza, donde unas niñas jugaban a «chingos».

Niñas que ya no existen, niñas hechiceras y descaradas. Mocitas deliciosas.

Pues sí. Soy lento. Como una boa, preciso días y días para digerir mis pensamientos. Una estancia en tierra de un mes, la miro y la remiro, la pienso y la razono, la dejo de rumiar en mi subconsciente, y tal vez llego a comprenderla después de marcharme, tras uno o dos meses solo en la mar.

De entre la neblina, a mi alrededor, me llega el ronroneo insistente de motores. Pero no es el ruido clásico e inquietante del gran buque, del carguero, sino un gruñido más cálido, producido por algún o algunos barcos más pequeños.

Hacia el mediodía, el calor atraviesa la atmósfera lechosa, haciéndose cada vez mejor la visibilidad, y, como si un telón se hubiese levantado, aparecen, sin sobresaltarme, como una sorpresa ya esperada, un grupo de pequeños barcos.

Cuento las embarcaciones sin creer a mis ojos. Todo mi horizonte está habitado. Los veo moviéndose en la mañana aún espesa, yendo y viniendo, cruzándose en sus caminos, como en un baile irreal, caprichoso, y lejano. Cuento diez y luego otra vez. Llego hasta quince. Varios de ellos no están lejos, a menos de una milla.

Me asombra esta vida que, tan de golpe, ha aparecido en la monotonía de mis días. Espero con ilusión que se me acerquen, que pasen cerca, para cambiar con ellos aunque sólo sea unos saludos o unos gritos. No pueden ser más que gallegos, vascos o bretones.

Rum, rum, rum, rum.

Uno que estaba cerca de mí se acerca lentamente. Tiene el casco verde, y con sus cañas abiertas por ambas bordas, muy, muy largas y finas, arrastrando en sus extremos las líneas de los aparejos, cobra el aspecto de un inmenso insecto cuyas enormes antenas se han levantado para no tocar la superficie del mar.

Rum, rum, rum, rum.

Se acerca, se acerca, oyéndose más claro su rum, rum, y se va agrandando poco a poco, cabeceando suave, con un movimiento de vaivén.

Saco los prismáticos y lo miro tratando de descifrar los números escritos en grande en su casco, su puerto de matrícula. Leo F.E., tiene que ser Ferrol, supongo; no puede ser más que Ferrol.

La tripulación, con el barco cada vez más cerca, pasa de ser unas simples siluetas quietas, posadas en cubierta, a ser unos hombres con sus detalles y con sus proposiciones y con su vida clara y evidente.

Gritos, saludos y preguntas que quedan sin respuesta a causa del ruido del motor. No es mucho, pero ya es bastante. Creo que alguien me ha dicho: «¡Buen viaje, paisano!»

Por mi proa se acerca ahora un barco de color rojo. Viene bien decidido hacia mí y ha reducido la marcha. Con los prismáticos busco las letras de matrícula en su casco: S. S.

Es de mi tierra, no hay duda, con sus dos inmensas S. S. pintadas precediendo a su número de matrícula.

En la torreta leo: «*Iru Anayak*»; los tres hermanos.

—Eup.

—Eup.

Y se pone a mi altura, moviéndose a la misma velocidad que yo, es decir, casi parado.

—¿Quieres algo? —me preguntan, como con el temor de que no les vaya a entender. Supongo que piensan que soy inglés o francés.

—No, gracias, tengo de todo.

—¿A dónde vas?

—A Donosti.

Hay comentarios a bordo del *Iru Anayak*, y me miran, incrédulos, divertidos, extrañados.

—Pero, ¿de dónde eres?

—Soy donostiarra —les contesto, y hago gestos para que me crean.

Y ya me han pasado. Ya están delante de mí. Y los veo que recogen sus aparejos rápidamente y se disponen a acercarse de nuevo hasta mí. Eso me da alegría. Me hubiese dado pena que se fueran. Los miro cómo dan la vuelta, cerrada, y cómo se acercan de nuevo hacia *Mistral*, lentamente, hasta quedarse casi detenidos a pocos metros de mi costado.

Y charlamos. Me hacen preguntas que yo contesto gritando para hacerme oír. Yo les oigo muy bien, pues *Mistral* es silencioso, pero ellos, pese a que sus máquinas no son ruidosas, tienen problemas para oírme bien. No nos decimos grandes cosas. Estamos emocionados. Tampoco es cuestión de comenzar una conversación.

Me ofrecen gasoil y les contesto que no tengo motor. Se ríen. Me ofrecen comida y todo lo que quiera, pero les repito que tengo de todo, que gracias, gracias.

Pienso fugazmente que un par de litros de vino no me vendrían mal, pero no me decido, una vez más, de miedo al abordaje.

No sé. Esto es bonito. De verdad.

Los veo a todos en el puente. Todos esos pescadores de mi tierra.

Y me van pasando, pues su impulso es más grande que el mío. Desde proa les saludo.

—Bueno, chaval, *¡agur!*

—*Agur*.

Por la noche, las imágenes del día me dan vueltas en la cabeza. Pienso en el *Iru Anayak*, y en el barco de El Ferrol, y en todos los demás. La estampa inesperada de lo que he visto hoy pasa y se repite en mis pensamientos como una sucesión de imágenes que me hacen compañía.

El cielo se ha cerrado un poco, pero el tiempo sigue igual de bueno. Adivino las luces de tres o cuatro pesqueros, pero ninguno de ellos está en mi camino. En mis oídos resuenan aún las palabras del patrón del barco de San Sebastián. Son las primeras palabras que oigo y que entiendo en directo después de cuarenta y tres días de mar.

De repente se me ocurre que todos estos barcos deben de tener sin duda radios con las que, durante toda la campaña, hablan entre sí. De otra forma, no navegarían en conserva formando estas flotillas.

Y enciendo mi transistor, y poniendo en una frecuencia que creo apropiada, busco, busco y rebusco.

Noruega, por la 10.

Zaragoza, por la 9.

Alemania, por la 8.

Sí, sí, enterado, enterado, a la derecha de Checoslovaquia.

Oye, ¿puede ser Pamplona por la 4?

Ésas son sus voces, esas voces que me llegan como un regalo en esta noche tan especial. Estas primeras frases me recuerdan ese juego tan conocido de hundir barcos. Pero supongo que están poniendo a punto un código o algo así para entenderse mejor.

Y se habla y se habla. Al parecer el día ha sido malo.

—¡No hay *peixes*!

—Sí pues, sí pues, bonitos lo que es ya hemos visto, sí pues, pero de picar, por los...

Y alguien se ríe. Es una risa cálida, cansada, de hombre fuerte. Y se oye jurar en vasco, en mal castellano, en gallego, en bretón. Son unos juramentos sabrosos, significativos, rudos, y a veces algo desamparados. Son unos juramentos que exprimen sin otras explicaciones lo que va siendo esta campaña.

Estoy a 600 millas de la costa. Algunos barcos están a casi mil millas del puerto del que salieron. ¡Qué lejos tienen que ir los pescadores a buscar su pescado!

Nubes rojas cuando se va el sol, con huecos de cielo violeta. Jamás pintura alguna podrá ser tan bella. Jamás un fotógrafo podrá captar un anochecer así.

Mientras las miraba, he hablado en voz alta.

Nubes, nubes.

Noches de calma después, navegando lento, lento, por una mar muy lisa, debajo de ese cielo tan inmenso.

Y luna grande, llena, que sale entre las nubes cuando éstas la dejan.

Rocío.

Frío.

He hablado en voz alta. Y mi voz me ha sorprendido.

La vuelta a casa, a los viejos caminos, a mi familia, a mis amigos, ha introducido en mí muchas ilusiones.

Hoy dedico el día a soñar lo que va a pasar, a imaginar soles, sonrisas, gentes, calles llenas de vida y colores, y algún abrazo emocionante.

Todo llega, todo llega. Esas cosas han de llegar muy pronto. Los días van a correr un poco más sólo para mí. El resto no importa, no existe.

Hay una niebla densa por la mañana, el día está rezumante de humedades y una llovizna insistente cae, mojándolo todo, alegre y tristemente.

Es el sirimiri.

El puente está cubierto por una fina película de agua, de la que se desprende y resbala de vez en cuando una gota solitaria.

El ambiente es extraño y frío, pero no trae temores, ni inquietudes, ni miedos, ni nada que pueda hacerme mirar mis horizontes con aprensión.

Hay sirimiri, simplemente.

Entrada la mañana, la niebla se vuelve más clara y hay más luz, quedando tan sólo flotando una ligera neblina, muy frágil, que el sol ha de limpiar.

Hoy termina mi segundo mes de mar. De las tinieblas me llegan los guiños de un faro.

Destello... siete segundos de oscuridad.
Destello... siete segundos de oscuridad.
Destello... siete segundos de oscuridad.

Es el cabo de Machichaco.
Cuando amanezca veré montañas.
La tierra está ahí...

Indice

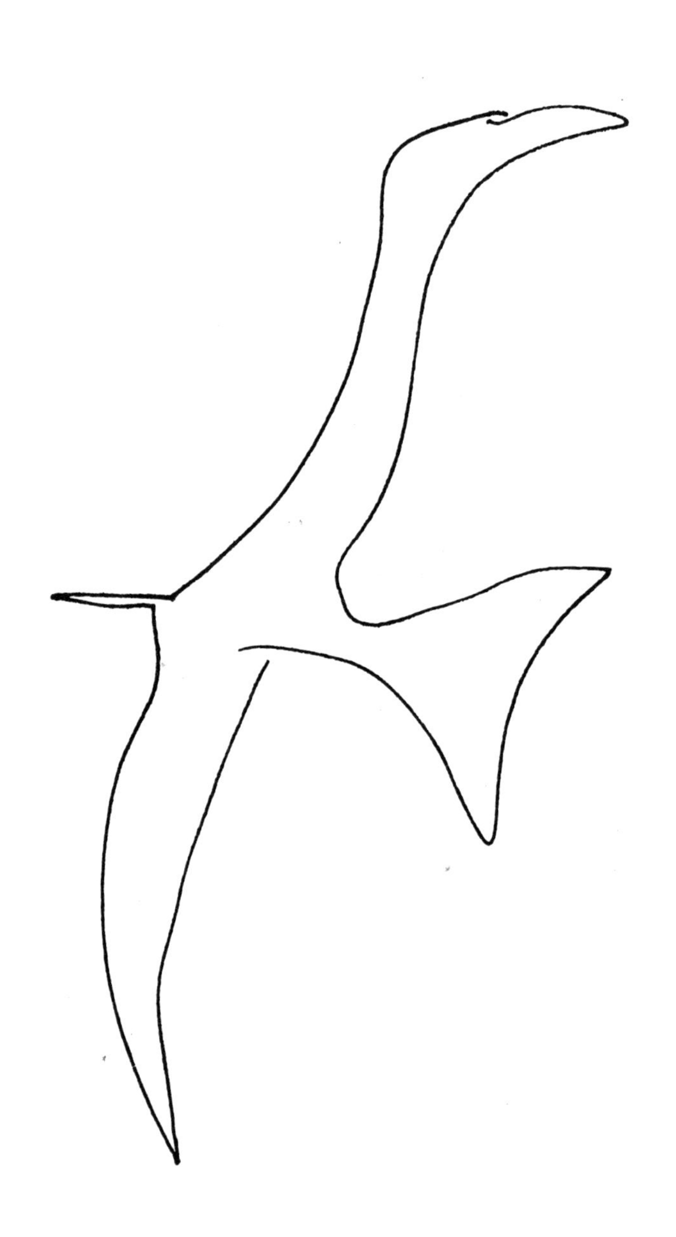